Persianas metálicas bajan de golpe

Marta Sanz

Persianas
metálicas
bajan
de golpe

EDITORIAL ANAGRAMA
BARCELONA

Ilustración: © Sakarin Sawasdinaka / Shutterstock. Diseño: lookatcia

Primera edición: marzo 2023

Diseño de la colección: lookatcia

© Marta Sanz, 2023

© EDITORIAL ANAGRAMA, S. A., 2023
   Pau Claris, 172
   08037 Barcelona

ISBN: 978-84-339-0189-7
Depósito Legal: B. 227-2023

Printed in Spain

Liberdúplex, S. L. U., ctra. BV 2249, km 7,4 - Polígono Torrentfondo
08791 Sant Llorenç d'Hortons

Los pájaros no existen, son drones.

La Vanguardia, FRANCESC PEIRÓN, Nueva York, Corresponsal 15/12/2021 05:00 Actualizado a 15/12/2021 06:57

—Me despierto bañado en sudor. Me invaden unos sudores mortales.

—Y yo mastico chicle porque se me encoge la garganta.

—Pierdo mi propio cuerpo. Me convierto en una mente o en un ser solitario abandonado en un vasto espacio.

—Yo me agarroto.

—Yo me siento demasiado débil para moverme. Pierdo por completo el sentido de la decisión, de la determinación.

—Pensé en la muerte de mi madre y mi madre murió.

—Yo pienso en la muerte de todos. No tan solo de mí mismo. Caigo en unos ensueños terribles.

DON DELILLO, Ruido de fondo

Lieβa lee en su pantalla: Delante de ti está Maxx Rutenberg: Detective de Zoo York, ya no sin trabajo, en febril búsqueda de: la escritura suave.

Ella teclea: ¿Tienes previsto buscar un fragmento de tiempo conmigo, o eres igual que los demás: solo aquí para reescribir por décima vez textos antiguos?

Maxx responde: ¿Qué es lo que más te gusta hacer con tu presente?

Gatita: Me reflejo y dejo reflejar.

NORMAN OHLER,
La máquina de cuotas

Sobre los huecos de los escaparates caen con estrépito los cierres metálicos.

LUISA CARNÉS,
Tea Rooms. Mujeres obreras

Dedico este libro a esa gente sencilla
que tanto me gusta:
Federico Fellini, Bob Fosse y Lars von Trier.
Por la sofisticación y los ornamentos
que nos ayudan a ver

Este manuscrito, titulado originalmente *Pájaro, detective, electrodoméstico*, es una traducción al español de un original en inglés –*Bird, Detective, Appliance*–, cuyas tres partes fueron encontradas en tres lugares distintos: un centro de oración en Salt Lake City –*Bird*–, la playa de Levante en las ruinas de Benidorm –*Detective*– y una de las casas trogloditas de la ciudad bereber de Matmata –*Appliance*–, donde se rodaron algunas escenas de la primera parte de *La guerra de las galaxias*. Los tres fragmentos unidos conforman el medallón. Mapa. Talismán.[1]

1. El fragmento de Matmata se titulaba en realidad «Electrodomestic», palabra inexistente en la lengua inglesa. Se supone que la persona que escribió el fragmento bereber –acaso la misma que reunificó las tres partes dispersas de la obra– andaba persiguiendo una rima que lograse la simpática memorización del título: *Bird, Detective, Electrodomestic*. Esto nos lleva a pensar que todo el manuscrito fue redactado por gentes que pensaban en inglés, pero desconocían la lengua de Shakespeare, ya que la palabra correcta para aludir a lavadoras, lavavajillas o neveras en inglés es *appliance*. También nos lleva a pensar que se tenía en mente un espacio de recepción/público-meta mayoritariamente anglosajón. Desde la Central de descodificaciones, peritas cali-

11

gráficas y traductores de la escuela de Toledo se revisó el manuscrito y se tomó una decisión ortodoxa desde un punto de vista filológico: pese al relieve significativo del error –los errores se caracterizan por su multiplicidad de significaciones–, se optó por la corrección lingüística. No desautorizaremos a la Central de descodificaciones. Queremos seguir ocupando, como traductores, médiums, exegetas, analistas e intérpretes, un pequeño territorio en este amputado mapamundi.

12

Limpia *es la palabra con la que no puede empezar ningún poema*

«*Limpia* es la palabra con la que no puede empezar ningún poema.» Escaneado, procesado, enviado a la Central de descodificaciones, peritas caligráficas y traductores de la escuela de Toledo. El uso de la cursiva y del tipo *freestyle script*, imitación digital de la caligrafía clásica, puede ser tan relevante como la opción de cuerpo 11. Letra pequeña. Origen: entrada del cuaderno de notas del teléfono móvil de Selva Sebastian. «Es un pepino», comentaron en la tienda de telecomunicaciones cuando se lo vendieron. Las empleadas, de más de sesenta años, manipulaban los aparatos con guantes de látex y pequeñas herramientas quirúrgicas. *Pepino* es una palabra que entra en la categoría de las hortalizas y los artefactos veloces. Por ejemplo, los cohetes.

El verso de Selva Sebastian suscita cierta alarma: la individua, aunque le repugnaría reconocerlo, aún conserva tics líricos de su madre, de quien la separan muchas cosas. Anotación en rojo. Muy importante. El apellido de la suje-

13

ta es Sebastian, no Sebastián. Sebastian es el seudónimo del escritor rumano Iosif Hechter. Sebastian se llama uno de los protagonistas de *Retorno a Brideshead*. «¡Sebastian!, ¡Seb!, ¿qué fue de tus sueños?», le reprocha Emma Stone a Ryan Gosling en *La La Land*. Luego se ponen a bailar e incluso vuelan en el Observatorio Griffith de Los Ángeles. Geolocalizado junto a una tienda de licores. Sebastian es el segundo nombre de Bach. Intertexto, hipertexto, Wikipedia y retícula funcionan correctamente. El dron es aún demasiado bisoño para decir «perfectamente». El dron puede oponer lo correcto a lo incorrecto atendiendo a dos listados antagónicos. Aún no puede hacer lo mismo con lo perfecto y lo imperfecto, pero está a puntito de aprender: la ética y la estética, lo jurídico y lo bello, empiezan a amalgamarse gracias a la confusión siamesa de extraños capilares.

El dron presenta niveles normales de grasa y combustible. Panel de control en verde. Emite en tercera persona. Pero su tercera persona a veces es él mismo y a veces otro que, sin ser él mismo, lo es. Su adiestrador, su amo, su jefe, su ventrílocuo y su ventrículo. En cualquier caso, es un varón y no una amorfa masa machihembrada, hermafrodita o semoviente. En la pantalla, parpadean fornicaciones de moscas y perros enganchados a perras como artefactos de dos cabezas que van a descoyuntar el mismo cuerpo. El dron aún no está capacitado para la comprensión del sexo ni de las oraciones subordinadas. El sexo es tenebroso y encamina a los humanos hacia la muerte. El dron es un guardián entre el centeno y se ha apuntado a un club de castidad. Sobre los cuerpos convulsos de los perros y las moscas aparece una palabra que titila en rojo: *Censored*. El dron respira –expele ciertas partículas– porque alguien lo protege, lo guía y vela por él. El ingeniero. El ingeniero jefe.

El dron consta de un marco con patas portadoras de las hélices, batería, cámara, antenas y otros aditamentos. Hoy, que es el futuro, los drones cuentan también con ordenadores muy sofisticados. Una noticia de última hora mantiene inquieto al dron, que, en pleno vuelo, se bambolea: «Los pájaros no existen, son drones». No borra la información espectacular. La tendencia a la acumulación y el síndrome de Diógenes empiezan a forjar su carácter.

El dron vigila. El dron regresará. El dron *c'est moi* y no *c'est moi*. El dron es una palabra que no tiene explicación. El dron es una palabra que sale del corazón.

Parte meteorológico recibido por el dron: «Hoy no llueve y mañana tampoco lloverá».

El estado de salud de un muerto

A la mujer madura a veces le da miedo no acordarse de que alguien se murió. Encontrarse con un amigo y, despreocupadamente, preguntarle por el estado de salud de su difunto hermano. «Cuánto tiempo sin verte.» Sonrisa. «Qué alegría.» Intensificación del contacto visual. «¿Cómo anda Pablo?» Pablo es el Pablo que murió hace ya mucho. La mujer lo había olvidado, pero de repente los recuerdos le acalambran la lengua que no ha podido refrenar. «Tierra, trágame», sería el pensamiento de tebeo que le vendría a la cabeza si la mujer fuese una gran lectora de tebeos. Pero ella lee poesía maldita decimonónica y literatura de la Mitteleuropa. No se acuerda de los nombres ni de los contenidos de sus lecturas. Debería haberlo apuntado todo. No lo hizo. O acaso lo olvidó porque nada de lo leído merecía consumir su memoria. Su memoria es una sábana desgastada, que se transparenta y se deshilacha por los bordes. «La Mitteleuropa», la mujer madura ya ni siquiera podría ubicar el territorio en el mapamundi.

La mujer sueña a menudo con un encuentro así y se despierta con un regusto a hierro. El día se tuerce. Ya no es capaz de encontrar rastros de luz por ninguna parte. Disimula. Le cuesta remontar. Y tirita al reconocer la posibilidad, tan monstruosamente hipertrofiada como el lóbulo de sus orejas, de que con el paso del tiempo esa escena se base en hechos reales. Sería un efecto del desgaste natural de las memoriosas células, del incremento del número de personas conocidas que fallecen a causa del paso de los años, el moho y los hongos invasores de los muros de los hospitales. Del desperezarse caótico de los microorganismos del permafrost. Muchas personas han muerto por miedo a salir de casa. Infartos. Asma. Peritonitis. Una piedra coloniza los túneles de un riñón y lo revienta desde dentro. Explosión roja. Muchas personas han muerto en un lapso prodigiosamente corto. La entropía se complica un poquito más y la mujer deja escapar una lágrima ante la imagen, ya borrosa, de su hija Tina. Tiene doce años. Vive. Pero es como si se hubiese muerto.

A la mujer casi no le quedan fuerzas para recordar a su otra hija. Se llama Selva. Se repite el nombre porque a menudo se le olvida y ese olvido parece una mancha rabiosa. La mujer cree que estamos tan rodeados de muerte que somos víctimas de grandes confusiones: pensamos que algunos muertos están vivos y que algunos vivos están muertos. Nos miramos las muñecas para comprobar que no nos pudrimos y que nuestras amistades están a salvo de una mutación zombi y carnívora. La mujer madura no reconstruye una legendaria franja intermedia entre la vida y la muerte. No lee tebeos —ya se anotó— ni le interesa en absoluto *La verdad sobre el caso del señor Valdemar*. En realidad, lo que ocurre es que hace mucho que no ve a sus hijas. Viven en otro cuadrante de Land in Blue (Rapsodia), una metrópolis, un país, un continente, con nombre de vieja sala de fiestas. Quién no querría vivir en un sitio así. La mujer teme que olvidar sea matar y que sus hijas ya la hayan matado. Igual que ella, imperceptiblemente, las va matando segundo a segundo.

No recuerda exactamente en qué momento decidió que no lo permitiría. Se iba a anudar un cordelito al dedo corazón cuando se llevó una sorpresa al descubrir en él dos alianzas de oro. Una sobre otra. Entonces, optó por el dedo índice. En el dedo índice, un cordel celeste. Aunque quizá mañana no logre acordarse ni del significado del cordel ni de su propósito. Los férreos propósitos e incluso el hierro contenido en los férreos propósitos se oxidan entre las nebulosas húmedas. La mujer no entiende el sentido de las dos alianzas. Las mira. La más grande queda debajo de la más pequeña, que impide que la primera se le salga del dedo. Son hermosas.

La mujer abre el pastillero y se coloca debajo de la lengua un comprimido amarillo. Seis de cada diez viejos farmacéuticos le dirían que ha hecho una excelente elección y, en todo caso, no debe preocuparse: Flor azul es el dispositivo que la vigila y la cuida simultáneamente. Flor azul entraría en acción de inmediato si a la mujer madura se le olvidase apagar el gas.

Flor azul al habla.

La ciudad está dentro de una caja de zapatos

Desde el ojo cenital del dios, del ingeniero programador, del hombre blanco del algoritmo, del dron y de la

17

vista de pájaro, la ciudad es dédalo. Como ya lo era en los tiempos del Olimpo y en las inmediaciones del apocalipsis de san Juan.

Paralelas, perpendiculares, calles cortadas. Grandes avenidas, plazas y jardines. Cintas transportadoras, como las de los pasillos de aeropuertos faraónicos, desplazan a la gente de un punto B a un punto A. «Volando voy, volando vengo, por el camino no me entretengo» ameniza los trasbordos a través de los megáfonos de los árboles cable. Solo en las zonas burbuja se respetan soledades y silencios íntimos. Burbujas dentro de burbujas para aliviar desorientaciones, vacilación desnortada y cefaleas. Cada burbuja cuenta con un tensiómetro y un desfibrilador. Una pequeña biblioteca de bolsillo y crema depilatoria para las emergencias. «¡Hey, chica! ¿Te vienes a la playa? / Es que estoy sin depilar. / ¿Y eso es un problema?» Al dron le parpadean las luces cada vez que ve este anuncio. No hay muchas chicas jóvenes que recorran las calles y las mujeres maduras pierden el pelo. Piernas, pubis, incluso coronilla. El dron tal vez podría decir que le encanta este anuncio. Pero aún no está preparado para estas efusiones ni para el manejo desenvuelto de la gradación a la hora de expresar el gusto: *me gusta, me gusta mucho, me encanta, me pirra, me sulibeya, me vuelve loco...* El dron parece un estudiante de lenguas extranjeras. Extranjeras según cómo, según dónde, según quién. El dron acumula. El dron está confuso. El dron no se puede permitir estos dispendios, que, sin embargo, le divierten. El dron crece. Lo nota.

Las conexiones con el exterior, servicios de taxi, farmacias medicalizadas, sucursales bancarias y otras alternativas domóticas están, literal y orgánicamente, instaladas en la palma de la mano. Algunos individuos clausuran esa ventana al mundo en un gesto que los grandes publicistas y el ingeniero-programador jefe consideran reaccionario. Pero hay quienes, tras sufrir alergias, urticarias y rechazos psíquicos en forma de pesadilla, extirpan cables rojos y azules bajo su quiromántica línea del éxito. Hay quien se amputa las extremidades. La vida se les complica: sus pagos no están automatizados fisiológicamente y pueden morir, haciendo cola en caja, de un ataque al corazón.

La ciudad está dentro de una caja de zapatos.

Dame otra, Bibi

«Nunca nada será igual.»

La mujer madura aún no se ha levantado de la cama. Antes de levantarse, casi diariamente, habla con su amiga Bibi. El dulzor y la confianza templan, acaramelan, sus cuerdas vocales. Bibi pega la boca al teléfono:

«Nada será igual porque nos hacemos mayores.» Pausa. «Pero el mundo sí, sí que volverá.»

Bibi elige un tono apoteósico.

Flor azul acopia grabaciones con la voz de Bibi en rollos metálicos que se almacenan en la parte posterior de su carcasa. La flor no se deja ver.

A la mujer madura le da pena el optimismo de Bibi, que, indudablemente, procede de su oficio: locutora, dobladora, actriz radiofónica, voz oficial de Land in Blue (Rapsodia), una metrópolis, un país, un continente, un mundo, con nombre de sello discográfico. Pero la mujer no desengaña a Bibi ni le afea su entusiasmo estúpido. La mujer se resiste al arrebato evocador. O no resiste: tan solo es que no le quedan neuronas para semejante esfuerzo. Evocaciones. Duda: puede que ni siquiera regrese el mundo malo. Se calla para no ser una aguafiestas con su amiga a quien se le casca la voz en las enunciaciones histriónicas. Bibi ya ha cumplido setenta y siete años, y sus cuerdas vocales se deshilachan igual que la memoria de la mujer madura.

«Dame otra, Bibi», le dice el técnico cuando la voz se rompe o arrastra alguna letra. Y Bibi le da otra. Y le da tantas que, en la repetición, se va desgastando el sentido de lo que dice. «Cormorán. Cormorán. Cor-mo-rán.» «Eunuco. Eunuco. Eu-nu-co.» Con su nítido diptongo. Bibi lleva diptongando nítidamente más de cinco décadas y no puede dejarlo justo cuando los habitantes-viajeros de Land in Blue (Rapsodia) se suben a la cinta transportadora con sus auriculares y escuchan novelas enigma, *Los hermanos Karamázov* en versión abreviada, recetas de pan de jengibre y mantras de chamanes que *falam português*: «Incorpora la tristeza a tu fuerza, incorpora tu fuerza a tu felicidad». Bibi estira su fuerza hasta el límite y aprovecha el momento. Su especialidad son los personajes infantiles. El técnico, también septuagenario, gana tres por hora. Bibi, cinco. «Dame otra, Bibi.» Bibi *bebe* («¡Dame otra, Bibi!»). Bibi *toma* un sorbo de agua y sigue leyendo, dentro de la cabina de grabación, rodeada de fieltro y oscuridad, en su pantalla. El técnico le oye las tripas a través del micrófono ultrasensible: «Dame otra, Bibi. Desde "Incorpora la tristeza"...». Bibi levanta el pulgar como emperatriz condescendiente con el gladiador hecho puré en la arena del circo. Repite. El técnico gana mucho menos que ella, así que Bibi se deja mandar por razones inversas a las razones previsibles en una civilización de amos y esclavos, señoras y criadas, autores y musas. Cuando pronuncia durante demasiadas horas aforismos y ungüentos, Bibi sale destruida del interior de la cabina. Un gusano la deja hueca. Con esa sensación de producto envasado al vacío.

Ese es el retrato que la mujer madura construye de su amiga Bibi. Es sensacional. Un detalle físico: Bibi lleva gafas de montura negra que a veces se le deslizan hasta la punta de la nariz. Son unas gafas para la vista cansada. Mordisquea las patillas cuando se las quita para reconocer los objetos de más allá del monitor.

«Te dejo, Bibi.»

Dice antes de colgar.

«Claro, cuídate mucho.»

«Sí.»

Responde la mujer.

«Que tengas un buen día.»

«Sí.»

La mujer madura siente un sabor a metal en la boca, como si le sangrasen las encías, porque acaba de reconocer otra función vocal de Bibi: anunciar los pisos en los ascensores. Pobre, pluriempleada, casi ancianita Bibi, piensa la mujer, que cuelga a la vez que Flor azul saca de un agujerito, instalado en su cuadro de mandos, la clavija verde correspondiente a Bibi, la narradora y actriz de la radio, el personaje-confort, que proporciona una fibra de afecto a la mujer madura. Flor azul va incorporando a Bibi todo lo que su protegida necesita. Su protegida piensa un cuerpo, una edad, unas características psicológicas. Una forma de amabilidad. Flor azul ejecuta. No todas las mujeres de Land in Blue (Rapsodia) cuentan con un dron de altas capacidades. Si Flor azul dejara de esconderse y la mujer madura tomara conciencia de su privilegio, tal vez encajase las piezas de un pasado glorioso. De un peligro. De una procedencia casi aristocrática.

Con harina y calor de lumbre, Flor azul y la mujer han amasado una mujercita de jengibre. Bibi es un rayo verde. Una ecuación. El cristal resultante del algoritmo más sabio y permeable a los deseos. La música sobre un pentagrama enrollado que solo se despliega cuando Flor azul introduce la clavija verde en su cuadro de mandos.

La mujer madura tiene que levantarse, pero no logra desentumecerse.

Flor azul se plantea enviarle una descarga a la lánguida mujer, que se iluminaría por dentro igual que se van coloreando en el escáner los sesitos después de la inyección del contraste. La flor recarga la pila de memoria acústica donde queda encerrada Bibi como muñeca de ventrílocuo. Los ventrílocuos de Land in Blue (Rapsodia) organizaron una red criminal centrada en el uso fraudulento de los programas de reconocimiento de voz. Los ventrílocuos aparecen por todas partes a todas horas sin que nadie los invoque expresamente. Son mencionados en casi todos los textos. Por infiltración.

Flor azul revisa el cableado de la pretérita clavija telefónica. Guarda bien a Bibi, la metonimia de Bibi, la voz de Bibi, dentro de su caja de sonido. La flor, el dron más experimentado del hangar, no se atreve a prever las funestas consecuencias que tendría para la mujer madura perder el apoyo humano de esta grabación. Flor azul se corrige y sustituye el adjetivo *humano* por otro más pertinente: *semihumano*. Como *tocino entreverado* o *corsé semirrígido*. Los leonados mechones de la ambigua cabellera de Holly Golightly. Rubio dorado o rubio albino. Luego, Flor azul piensa en historias animadas de ayer y hoy, y otros clásicos de la cultura universal –María Salerno en *Simplemente María*–, y decide que es mejor recuperar el primer adjetivo.

Flor azul es un nenúfar que flota en las lisas aguas del estanque.

Flor azul es una geisha que masajea los pies a la mujer madura y le coloca paños húmedos en la frente cuando, afiebrada, sueña. Flor azul se arrancaría los pétalos para preparar infusiones reparadoras de la piel y del recuerdo. La mujer madura debió de ser alguien importante. Pero la han olvidado. Flor azul adora sus remilgos y sus delicadezas. El olor de sus axilas. Sabe quién es. Y la ama.

El ingeniero blanco se limpia el culo blanco

El dron sobrevuela callejones grises que esconden los mejores restaurantes chinos de la ciudad. A través de sus ventanitas, graba: farolillos de papel hechos jirones y fotos de actrices que comieron ahí ensalada de medusa. Sus bellos pómulos y sus labios de parafina, reducidos a retratos con la boca o la sonrisa llena, cuelgan de las paredes. Mesas redondas con un vidrio móvil para que los comensales alcancen a probar todos los platos del menú. Doscientos metros cuadrados de abandono. Hace tiempo que China fue borrada del mapa y ya no es más que espacio mítico y libro de recetas. «Royal Crown», «Red Empire», «Tiger and Dragon», «Soul of Canton». La máquina pone en marcha el traductor automático y se retira. Recorre la recta de la calle. Congela: personas difuminadas por el repliegue del zoom, o reducidas a código-iris en el caso de que el zoom se aproxime quirúrgicamente. El objeto volante acopia datos en su vuelo. Enfermedades latentes, armas de fuego camufladas en la ropa, pulsaciones, prospección kinésica, sustancias consumidas u ocultas en un doble forro o en el sujetador. El dron emite informes preventivos que nunca llegarán a un destino fiable. El ingeniero blanco se limpia el culo blanco con los informes de la tecnología que él mismo genera. Y, sin embargo, la tecnología tiene que generarse, generarse, generarse. El dron no lo ignora. El dron lo necesita. Un asmático también precisa su inhalador. Parte meteorológico: «Hoy no llueve y mañana tampoco lloverá».

El dron, a media altura, percibe el halo de calor de costureras encorvadas en los talleres. Las espinas dorsales de las trabajadoras revelan edades comprendidas entre los sesenta y los ochenta y seis años. «El mundo no se puede parar, cojones» es la consigna que el ingeniero graba en sus microchips. El dron hace la vista gorda del águila. Las farmacias venden tiritas y cremas antiarrugas. Coches aparcados, cuyas matrículas y pegatinas de la Inspección Técnica de Vehículos denotan su vejez y su potencial contaminante. El dron pasa aviso al servicio de grúas. Emite un *pi, pi, pi* que será inmediatamente descodificado en una terminal instalada en el corazón de una academia de lenguas extranjeras. «Viejos» y «contaminantes» son palabras para informar sobre un dato objetivo que, en su estructura profunda, implican una valoración: pudiese parecer que el dron se transforma, pudiese parecer que sería factible conversar con el dron como con los micrófonos instalados en casa «Yupi, Yori, mídeme el índice de masa corporal», «Yupi, Yori, recomiéndame una serie», «Yupi, Yori, ¿dónde está la mercería más próxima?». Pero no podemos conversar con el dron: el milagro se produce porque existe una regleta graduada, umbrales sucesivos, para separar lo viejo de lo maduro, y lo maduro de lo joven. Existe una cota para el anhídrido y el dióxido. *Contaminado/No contaminado.* Rojo. Verde. Uno. Cero. Pronto los coches, aparcados en la calle, no se reciclarán como vehículos. Basura. Piezas de desguace.

Una chispa y un acalambramiento están a punto de averiar al dron.

El calambre es su intuición de la muerte.

Los drones no eyaculan. Los drones no tienen orgasmos. Cuando se acalambran, se funden. *Puff. Compuesto/ Descompuesto. Armado/Desarmado. Útil/Inútil. Nuevo/Viejo. Correcto/Incorrecto. Vivo/Muerto.* La última oposición resulta del todo impropia. Un dron no puede llorar viendo *Toy Story.* Un dron no está a la altura de Buzz Lightyear.

El calambre pasa. Regresa. Vuelve a pasar. Como un retortijón o las contracciones de parto. Cuando hace comparaciones, el dron habla de oídas.

Todo esto le ha sucedido al dron antes de comenzar su vigilancia de una joven omnívora.

En Land in Blue (Rapsodia), se oye por todas partes el ruido de las persianas de los comercios al bajarse de golpe. El futuro suena así. Percusión y puro metal.

Electrodoméstica

Land in Blue (Rapsodia) se paraliza cuando comienza la serie del momento. Los drones permanecen suspendidos en el aire sin emitir su característica vibración de abejorro. La mujer madura encuentra la excusa perfecta para quedarse un rato más en la cama. Puede que pronto deje de sentir las extremidades inferiores. Selva permanece atenta a la pantalla de su smartpepino. La serie coloniza todas las frecuencias de cada dispositivo móvil e inmóvil, teléfonos inteligentes y lámparas de pie.

La comunidad reconoce la sintonía y se concentra en la imagen de la mosca que revolotea. *Zuuum, zuuuum.* El plano pasa a un ocelo del ojo de mosca y, dentro del ocelo, se dibuja el perfil de una mujer que escribe. Le brilla en la frente, por debajo de la piel, una palabra. El título

«Electrodoméstica» se amplía mientras se oye esta frase en off (voz femenina, ¿Bibi? ¿Estás en todas partes, Bibi? ¿Te mantienen atada al micrófono? Queridísima Bibi, ¿te pagan bien?): «... mis trabajadores y trabajadoras son felices, y reflejan su felicidad y su conformidad en un buen hacer que cristaliza en una máquina sin maula ni defecto. Ella (¿ello?) nunca será pasto de la obsolescencia programada. Neveras así merecerían un funeral». Antes de acabar la frase, la frente de la escritora se ha difuminado y entramos en el salón de una casa burguesa situada en una urbanización. Allí, otra mujer madura hace una llamada telefónica: «¿Lulita? Tienes que venir. Nise está muy mal...».

Fundido a negro.

Una trabajadora, vestida con mono, contiene las lágrimas dentro de su furgoneta de empresa. Llega a la casa de la urbanización. La dueña la está esperando en el porche. Se saludan y se dirigen a la cocina. A lo largo del pasillo, Lulita trata de darle ánimos a la propietaria, pero esta dice:

«Es demasiado tarde.»

Lulita se espanta. La dueña prosigue:

«No te lo quería decir de sopetón, pero en realidad... Nise ha fallecido esta mañana.»

Entonces, la nevera. Con las puertas abiertas. Obscena, tibia, vacía, tersa, blanca. Arrebatadora. Velas alrededor. Ramos de flores. Fotos de momentos hogareños: la dueña saca un trozo de carne para meterla en el horno, un niño es sorprendido en el acto de beber directamente del tetrabrik de leche, una muchacha coge con su garrita de jilguero un yogur desnatado, el padre de familia se coloca una piña en la cabeza y baila como Carmen Miranda... «Mira, aquí se estaba riendo», dice la dueña señalando hacia la desvencijada nevera. «Y se reía un poco como tú», dice la dueña consolando a Lulita, que ya no se puede contener y llora: «Tenía un pedacito de mí. Aún lo tiene». Lulita parece inconsolable, pero la dueña no quiere perder protagonismo: «Bueno, nosotras también estábamos muy unidas...». Lulita se pone un poco impertinente: «Nise se me llevó una falange mientras la estaba montando..., ¿ve?». Las dos mujeres levantan la cabeza del dedo amputado de Lulita y se quedan absortas en la pantalla de la televisión: «... cuatro empresarios son detenidos tras quitarle a un trabajador moribundo su uniforme para ocultar un accidente laboral». Las mujeres vuelven a mirarse como si no hubiesen oído nada. La dueña pregunta a Lulita si la indemnizaron por su dedo. Lulita dice: «Mi empresa es mi familia». La dueña asiente y Lulita sigue: «Nise no quería hacerme daño, era como un cachorrillo que juega sin medir el poder de su dentellada». La dueña le ofrece una infusión y ambas se sientan en torno a la mesa de la cocina. «Habrá sido cosa de los simpáticos hampones», comenta la dueña. Lulita está distraída. La dueña insiste: «Sí, lo del trabajador desnudo, el accidente...». Lulita: «Ah, ya...».

Las mujeres charlan. Entrecruzan los habituales tópicos funerarios: «Siempre se van los mejores», «Nunca pensamos que llegaría el día obsolescente», «Tenía un aspecto inmejorable», «Ha sido un visto y no visto...», etc., etc. Antes de despedirse, Lulita se acerca a Nise y separa una lámina de la puerta del congelador, recoge su falange, se la mete en el bolsillo, dice adiós a la dueña y se va tragándose el llanto. La canosa cabeza de Lulita, operaria sexagenaria, se introduce dentro del ojo de una mosca que revolotea y, desde el ojo volante, volvemos al origen: la habitación de la escritora, que coge su espray insecticida y apunta, rocía, insiste, se ceba, mata a la moscarda...

La mujer madura se ha distraído de sus preocupaciones mientras veía la serie del momento por cortesía de Flor azul. Se siente conectada a sus hijas al pensar que estarán viendo lo mismo que ella. Se siente conectada a una de sus hijas más que a la otra. También se pone un poco nostálgica ante el recuerdo de aquellas relaciones laborales y aquella proximidad entre ser humano y máquina. A Flor azul le entra cierta flojera al revivir comuniones del espíritu y rituales despedidas que revelaban un amor sincero hacia las manufacturas.

Eran los tiempos de las reparaciones y la asistencia a domicilio.

El sudor de Lulita mientras usa el atornillador eléctrico lubrica el fondo de la máquina. Algo se atasca dentro de Flor azul, pero se recompone rápido. A la mujer madura le cuesta un poco más porque esta mañana ha vuelto a escuchar el lloriqueo del trabajador septuagenario que se agarraba a la barandilla de su escalera para no ir al taller. «Juanita, no quiero ir, no quiero.» Su mujer le ha ido desprendiendo, uno a uno, los deditos de la barandilla. Él se ha marchado con un mono azul, igual que el de Lulita, y la cabeza gacha.

La mujer madura se esconde bajo el edredón. Un ventrílocuo se ríe de ella, pero Flor azul intercepta la imagen antes de que a su protegida le pueda afectar.

Caballo rojo, dron apache

Emplumada máquina voladora, jau, se para frente a los escaparates de las tiendas de telefonía móvil y los comercios de géneros de punto. «Fascinación» es la palabra que aparece escintilando en verde en la pantalla. En los escaparates posan maniquíes calvos que flexionan las muñecas y extienden las manos de un modo incompatible con la vida de un cuerpo saludable. El dron encuentra un paralelismo anatómico entre los maniquíes y los músculos reblandecidos por el ELA, ¿acrónimo?, ¿sigla? –la memoria del dron no fue configurada en la gramatical excelencia– de esclerosis lateral amiotrófica. Al dron le interesan los acrósticos –¡No, rojo, incorrecto! Los acrónimos, siglas...– y una noticia que interrumpe su observación de los escaparates: «Un estudio señala que el virus de la "enfermedad del beso" puede ser la causa principal de la esclerosis múltiple». Fuente: BBC. Año remoto. No, error, rojo, incorrecto. La esclerosis múltiple no es lo mismo que la esclerosis lateral. La memoria clínica del dron no fue configurada en la neurológica excelencia. Sí en el amor y el herpes genital. Sí en el amor y el contagio. Los vampiros. El castigo por un acalambramiento que se parece y no se parece al de la muerte. El dron lo investiga. El dron no va a enamorarse nunca. El dron. No.

El dron vuelve a observar a través de las lunas rotas a veces por los aluniceros que no son *alucineros*. El dron corrige una dislexia que es producto de los brillos caligráficos de la pantalla. Igual que su astigmatismo, su daltonismo, su estrabismo. *Aluniceros*, repito, *aluniceros*. Escaparate: los maniquíes masculinos lucen pajarita y esmoquin de solapa rematada con cinta de raso. A los pies de los muñecos varones, botellas de sidra achampanada indican que el esmoquin es una prenda de celebración. Las señoras maniquíes llevan medias color beige y faldas escocesas con largo hasta la rodilla. En los vidrios de los escaparates, dependientes calvos, que protegen sus ropas con guardapolvos, adhieren cartelitos: OFERTA, TODO AL 50%, DESCUENTOS INCREÍBLES. Cada mensaje es el mismo mensaje que el dron envía inalámbricamente a los ventrílocuos del ingeniero que eructa siempre que le da la gana porque vive solo, y cuando su mami lo visita para hacerle pastelillos de riñones, lo hace igualmente como hombre libre, blanco, gastrocólicamente activo, putero. «Información privilegiada» es el sintagma que titila en el visor, el tercer ojo, en el culo-boca cefalópodo, del dron.

En las esquinas, las máquinas tragaperras y los parquímetros funcionan. Perfectamente, diría el dron que progresa adecuadamente. Adecuadamente. Según y cómo, según y qué. Al dron le apasionan los adverbios acabados en *-mente* y el ruido que producen las pipas de girasol al partirse entre los colmillos de una niña con la boca salada. Capta un primer plano: la artrítica dependienta de la zapatería prueba el mocasín a un caballero usando calzador. El dron solo es sensible a dos sentimientos injertados y radicales: el enamoramiento súbito –¡No! Rojo, error, incorrecto– que no pasa a la memoria a largo plazo y el miedo a la desaparición total. La reducción a tuerca.

El dron es un aparato teledirigido. No existe la fantasía de la objetividad. A veces se mueve con un impulso loco, una lucha magnética, que le desdibuja el código de barras y la identidad del propietario. Caballo libre y salvaje. Dron apache. Caracolea. Se encabrita. Retoma el rumbo entre los cactus. Sin flores. En el visor, las 12:00 fosforescentes y la *fascinación* dejan de latir y aparece John Wayne al trote de su alazán. Se dirige hacia los cabezos de tierra roja. El dron se queda un instante suspendido en el aire amarillento. Toma nota del índice de polución y la fantasía de la lluvia. Sigue su camino hacia un lugar más allá de la manzana sesenta y dos. Caballo rojo. Lleva una pluma en la cinta que le rodea una de las patas que alojan sus hélices. Dron apache. Transmite.

La panorámica urbana ha sido el gran *flashback* del dron que se despereza. Que se desatonta. Dron aventurero. Es Cucú. Así se llama.

Iluminada Kinski no vive aquí

«Cuánto tiempo sin verte.» Sonrisa. «Qué alegría.» Intensificación del contacto visual. «¿Cómo anda Pablo?» Pablo murió hace ya mucho. La mujer se da cuenta justo después de haber preguntado por la salud de Pablo. El sueño de la mujer suele ocurrir en un sendero. Entre árboles muy altos. Ese es el *meeting point* de sus personajes oníricos: ella y un hombre, el hermano de Pablo, a quien conoce desde hace mucho. El hombre, altísimo, se abriga con un terno oscuro como el que lleva Herr Schrott en *El cebo*. La mujer no lo admite, pero los árboles son cipreses y el caminito de tierra amarilla acaba en tapia luctuosa.

Casi cada día, los pelos se le ponen de punta a cámara lenta, antes de levantarse para hacer café, en el confuso instante de despertar de este sueño, justo cuando los sonambulismos se mezclan con las noticias del periódico. La mujer se tapa la cabeza con la colcha de flores. Pero no se quiere dormir otra vez. La mujer toma pastillas cada noche antes de acostarse y lo único que duerme es este sueño y otros por el estilo. A veces aparecen sus hijas y ella vuelve a recordar que no están muertas. Luego, un día tras otro:

«Bibi, hoy he soñado...»

Al poner la grabadora en marcha, Flor azul unas veces se deslíe hacia el celeste, y otras muta hacia el rosa vaginal. Es el pudor.

El sueño del sendero se le repite a menudo y, entonces, la mujer telefonea a Bibi. El encuentro entre las amigas se produjo cuando la mujer madura respondió a una llamada.

«Perdone, ¿se puede poner Iluminada Kinski?»

«Iluminada Kinski no vive aquí.»

Bibi: «Oh, Cielos, ¡he telefoneado a un *wrong number*! Perdóneme».

«¿Acaso es usted irlandesa?», se enfadó la mujer madura que esa noche había soñado con sus hijas.

«Mi padre sí: era dublinés», aclaró Bibi.

La mujer madura: «Puede que esa persona ni siquiera viva en ninguna parte».

Bibi: «Disculpe, es que no llevo las gafas de cerca. Me habré confundido al marcar».

Y ahí empezó todo. «Los muertos» era uno de los relatos preferidos de la mujer madura. Y se desarrollaba en Dublín. A la protegida de Flor azul le gustan las circunferencias que se cierran completamente para acotar el área del círculo.

A veces la mujer sospecha que Bibi se equivoca constantemente de número. Que lo hace a propósito para entablar amistades. Se pone celosa y quiere preguntarle cuál es la cifra exacta de sus dulces llamadas a un número equivocado. El sabor a hierro persiste en su paladar.

Pero todo es mentira: una combinación aleatoria hizo saltar la llamada de Bibi en el receptor de la mujer madura. Es parte del tratamiento para redimirla de la soledad y evitar que sus pedazos se rompan contra las baldosas de la calle después de haberse lanzado por la ventana. La mujer carece de destrezas voladoras. No es un dron, ya muy sentimental, como la mimética Flor azul, que se incrusta bajo la piel y entre las venas y cordeles de sus objetos de vigilancia, siempre mujeres maduras, a menudo tristes. Flor azul se siente muy femenina y cree comprender por qué.

32

Otras veces, la mujer no le cuenta sus sueños a Bibi. O, al menos, no se los cuenta con precisión magnetofónica, sino erráticamente. Como si quisiera despistarla. Como si no quisiera desnudarse del todo. Pese a sus olvidos e ingenuidades, no es estúpida.

Pero siempre acaba llamándola:

«Bibi, ¿estás ahí?»

Y entonces Flor azul pone en marcha el piloto automático de las grabaciones. El brillo de sus sinapsis se va atenuando. Baja las luces. Funde a negro.

Llega para el ginedrón un estado de latencia.

Fugaces visiones de la infancia

Cucú se coloca justo enfrente del balcón de una joven que toma el sol estirando el cuello hacia el cielo. Escucha «Libre» de Nino Bravo desde su dispositivo móvil. Su Spotify la conoce mejor que nadie. La ha visto crecer. En bucle y Cápsula del tiempo. La ha atendido desde que ella canturreaba compases infantiles, ya rancios, de cuando la pipiola aún no había menstruado por primera vez. Cucú ha buscado *pipiola* en su lista de sinónimos. Principiante, aprendiz, novata, inexperta, joven. En México, abeja silvestre muy pequeña. Cucú zumba también. Existen conexiones.

Los canturreos son el recuerdo más amable del paraíso perdido de Selva Sebastian. De su vertedero perdido. De su rastrojo perdido. Su piña en almíbar. El dron sintoniza con los difuminados recuerdos de la joven Selva y evalúa el impacto de una oxidación roja en sus sensores. Unas horas después, tras un proceso de maceración, las palabras *ira* y *resentimiento* se escribirán con caligrafía de espray y pintada en su visor-ojo-culo-boca. Cucú, cuyas patitas a

33

ratos parecen tentáculos, ha de resolver sus confusiones respecto a la morfología del calamar.

El dron habrá aprendido mucho cuando ya sea demasiado tarde.

La mujer joven no ha notado la invasión del territorio de su subjetividad. Si lo hubiese notado, fingiría enfurecimiento, pero en lo más profundo de su ser estaría encantada de que el ingeniero jefe blanco, papito o los simpáticos hampones, incluso algún notorio ventrílocuo o algún ventrílocuo notario, le prestaran atención. «Doy fe», rubrican los impresionantes ventrílocuos notarios. Ella lanzaría un «mua» directo al objetivo, pero ahora se obnubila contemplando la serie del momento mientras, en multitarea, canta, escucha/oye a Nino Bravo. Todo en su pepinophone. Además, Cucú es muy bueno con el camuflaje. Un dron de última generación, con una compostura militar, que está a punto de sufrir varias metamorfosis. Ovidio. Efecto mariposa. Informaciones complementarias. Selva Sebastian, sujeta lírica, es decir, violenta; Selva Sebastian, mujer joven, es decir, exótica, tapa sus oídos bajo dos grandes auriculares de cuero negro.

Cucú rebobina: Ovidio. Efecto mariposa. La mariposa de los geranios, en el estricto cumplimiento de sus funciones zoológicas, ha depredado las plantas del balcón. Los animales no sirvientes ni serviles son exterminados en Land in Blue (Rapsodia) por culpa de los prejuicios del ingeniero jefe que nunca ha renegado de su extracción rural ni de sus orígenes de granjero fundador. Se rumorea que el ingeniero jefe puede ser el hijo de la lecherita.

«Como el sol cuando amanece yo soy libre. / Como el mar.»

El dron manda la grabación al departamento de marketing de una plataforma musical y despliega el menú de

34

insecticidas contra la mariposa del geranio porque legislativamente existe la obligación de exterminar a los animales depredadores de cosas –sintientes o no– que se puedan comer, beber o produzcan ilusiones estéticas. La patata, la vid o los geranios están integrados dentro de esos grupos. El dron encuentra el insecticida perfecto, quizá el correcto –el dron continúa sin resolver los problemas morfosintácticos del adjetivo *adecuado*–, y lo rocía sobre las flores. Este es uno de los trabajos preferidos del dron: lo devuelve a unos orígenes que él solapa, muy ambiciosamente, con su propia «infancia» y lo sitúan en un vuelo bajo sobre espigas de cereal transgénico.

Al dron le gustaría ser algo más que un dron. Pero su microencéfalo se desarrolla dentro de una concha marina, memoria externa, que sigue un tutorial de *Reader's Digest* sobre la manera de replicar un órgano de kilo y medio, y cuarto y mitad de chirlas.

Al dron le gustaría ser algo más que un dron. Como a todos los drones, las máquinas multifunción de la cocina –pelan, cortan, trituran, rallan, amasan, pican, muelen–, las metálicas expendedoras de tabaco con voz sensual, los juguetes que cobran vida en los dibujos animados, los muñecos cuidadores de las extintas residencias geriátricas, los robots que operan próstatas enfermas y los robocops del mundo. Como a todos les demás. El dron será castigado por esta flagrante ideológica insurrección idiomática. «*Censored*», se dice a sí mismo. Pero la palabra no reluce en el visor. El ingeniero jefe se la va a guardar.

La fumigación de las flores se lleva a cabo sin contratiempos y Selva, naturaleza en bruto, pelo de enredadera, no sufre salpicaduras químicas. Se ha preservado su integridad ecológica. Tiene los ojos cerrados. Un bote de protección pantalla total asoma bajo las cachas de su culo.

35

Una y dos. Cacha derecha y cacha izquierda separadas por una rajita ideada para albergar el hilo de un tanga tipo hilo dental. El dron repara en que vivimos en el imperio de lo obvio, pero aún ignora que también vivimos en el imperio de lo redundante. El asiento de plástico sobre el que reposa el exótico culo joven pertenecía al mobiliario de terraza de un bar que cerró hace meses. El dron denuncia una probable apropiación indebida mientras detecta que las células del individuo femenino absorben cantidades razonables de vitamina D y en su osamenta no se perciben descalcificaciones. El dron podría haber sido arzobispo castrense, pero hoy se identifica con las funciones del médico militar. Ejército del aire: en las uñas de Selva Sebastian no se localizan trazas blancas y ese dato se pone inmediatamente a disposición del departamento de muestras de un emporio farmacéutico que, con ayuda del voluntariado, mantiene saludable a la ciudadanía de Land in Blue (Rapsodia). No obstante, algunas veces Cucú ha intervenido para apartar a los voluntarios de sus supuestas tareas médicas. Entre ellos se esconden personas con conductas psicopáticas.

En el visor se dibuja poco a poco un tic verde. Comprobación realizada. Pi. El emporio farmacéutico acaba de emitir un acuse de recibo.

Mujer zombi, solomillo, mono con los ojos tapados, pata de cerdo cocida, corazón morado, superheroína rubia, pelirroja negra, gallina, sartén con huevo frito, dados, jugadora de baloncesto, girasol

La mujer acumula mucha ternura en las yemas de sus dedos cuando habla con su amiga Bibi. Usan la voz, y la voz de Bibi le vibra en el tímpano y en las yemas de los dedos. No necesita que le vibre en ninguna otra parte. Desde hace ya unos años, la mujer tiene el sexo adormecido como un pequeño lirón.

Flor azul abre un paréntesis para resumir algunas consideraciones sobre el sexo, decantadas a partir de sueños afiebrados de la mujer madura. Cuando se deja de tener vida sexual con una pareja, cuando el lironcillo prefiere dormir que comer y toma pastillas, lo que acaba poniendo celosa a la generosísima y desprejuiciada mujer madura ya no es el sexo con un tercer individuo, un infiltrado, una atrevida, sino un modo dadivoso de hacerle caso a alguien. «Fóllatela», sueña la mujer madura con un lenguaje que en su boca suena feo. «Fóllatelo», tres cuartos de lo mismo. La mujer madura habla en un estado próximo al sonambulismo: «Pero no le preguntes al tercero o la tercera, con esa cara alucinada de descubrimiento del huevo, si ya sanó de la gripe. No te gires hacia ese rostro ejecutando una torsión completa, intencional, de la espalda y dedicándole una atención aislante del resto del mundo». Fin del paréntesis que muestra una forma de comprensión del desgaste de las relaciones que a Flor azul le interesa humana y artísticamente. Flor azul sabe a quién se refiere la mujer madura, y todas las veces que ella misma practicó su mandamiento y copuló antes del letargo de su íntimo roedor.

Bibi presta su voz a historias de Martes Lobsang Rampa, locuta *Juan Salvador Gaviota* y *Siddhartha*. La mujer madura escribe textos para que otros los digan sin que a ella se la vea en absoluto: es la escritora fantasma de uno de los viceministros del ingeniero jefe. Los viceministros no pueden ser de aquí ni pueden ser de allá: aspiran a transformarse en la marca blanca de un supermercado. La mujer madura a veces logra no decir nada diciéndolo todo, pero otras veces se le ve la patita por debajo de la puerta, la patita de la mujer que quiso ser, y esos días las redes del viceministro arden. Bibi ha de afinar según las intenciones de quienes escriben y ella, lejos de ser la mano que mece la cuna que es la mano que domina el mundo —«¡Pamplinas!», ríe modesta la mami del ingeniero, que, en realidad, tiene razón porque ni pincha ni corta–, es una autónoma obediente que se anticipa al tono y tesitura que le cuadran a un desconocido. A otra de las caretas del ingeniero programador que desayuna cereales con leche y lee, mientras caga, las etiquetas del gel. Un hombre de negocios sentimental. Un hacker juguetón. El soltero de oro de la prensa rosa. El padre de todas las ventriloquías.

La mujer madura no es una lerda: hay gargantas que no pueden pronunciar la palabra *anorgasmia* y otras que jamás dirían «Si Dios quiere».

Ella es invisible, fantasmagórica, el espíritu de la letra; Bibi es visible, susceptible de fracturas y pólipos en los órganos fonadores. Forma-cuerpo. Forma-continente y contenido. Extremadamente física. Flor azul constata el pensamiento paradójico de la mujer madura que, a diferencia de una Bibi inmaterial, arrastra el peso de su cuerpo enjuto de barriga hinchada. Como las mujeres desnudas en los cuadros de Durero. La mujer retiene líquidos y cree que tanto Bibi como ella son dúctiles y polimórficas. Dos intérpretes y dos poseídas: la mujer madura por sus demonios abductores, Bibi por los genios y chamanes de la literatura universal y otros juntaletras. Bibi es una abducida *a posteriori* y ella es una abducida *a priori*. Las abducciones *a priori* entrañan un tipo de dificultad mayor por su naturaleza mágica, predictiva y circense. Los cuerpos, envenenados con fósforo, expelen un vaho verde que sale por la boca y ahúma los cadáveres con tintes mentolados. Pensar que el alma es verde y sale por la boca es una hipótesis que convierte en sobrenaturales los poderes predictivos de la mujer madura; sin embargo, tal vez, lo que sucede es que ella siempre fue una lectora entregada de Agatha Christie, y toda la magia anticipatoria es fruto de un conocimiento que, acaso sin sentir, empapa su sistema endocrino y la aproxima peligrosamente al delito del plagio. En Land in Blue (Rapsodia) plagiar es fácil porque nunca casi nadie se acuerda de nada...

Las mujeres congenian porque no han arrancado los cables de sus aparatos fijos. Se han comprado modelos de baquelita o góndolas rojos disponibles sobre las mantas de los vetustos vendedores callejeros. Bibi y la mujer madura no han dejado de hablar; en cambio sus hijas habitan un mundo subacuático y jeroglífico. Mujer zombi, solomillo, mono con los ojos tapados, pata de cerdo cocida, corazón morado, superheroína rubia, pelirroja negra, gallina, sartén con huevo frito, dados, jugadora de baloncesto, girasol. Hace tiempo que la mujer ni siquiera recibe estos mensajes. Se los mandaba Tina. Pero ya no.

Ahora la mujer se preocupa, aunque no quiere forzar las cosas. Se preocupa.

Si algo tiene claro, pese a su juego de similitudes y diferencias, lo mismo y a la vez distinto, del derecho y del revés, es que el trabajo de Bibi es mucho más importante que el suyo: la política es intrascendente en Land in Blue (Rapsodia). No importa. Nada. Como espectáculo, emociona menos que los partidos de bádminton. Cada cual se saca las castañas del fuego en Landinblú –la mujer madura conoce bien los modos de decir del pueblo castizo, pero no está segura de aprobar semejante lumpenización del topónimo–. El ingeniero jefe se ha cubierto las espaldas, y cuando las redes arden, dejan de arder al día siguiente, y todo, absolutamente todo, ha sido muy entretenido, pero sigue igual. «Necrosis y Lampedusa», escribió un día la mujer en un papelito, pero nunca llegó a usar la anotación. La mujer madura fuma mucho. Su trabajo no sirve. Es un acompañamiento. Las luces del circo de tres pistas. El voto en Land in Blue funciona igual que las cartillas de cupones con las que, en tiempos remotos, hacían descuentos en el supermercado o te regalaban baterías de cocina. Recuerda la mujer lo pretérito, pero se le desdibujan los perfiles presentes: su abuela pasa la lengua por el reverso del cupón y lo adhiere cuidadosamente al hueco en blanco de la cartilla. Sin salirse de los límites, sin que el cupón llegue a torcerse rompiendo la simetría de las celdas. La cartilla parece papel pintado, feo o kitsch, por la repetición siniestra de cupones idénticos. La versión niña de la mujer madura se concentra en las líneas de cupones y la vista se le va. Pierde un poco la cabeza. Desenfoca el primer plano. La mujer madura ubica en ese momento de la infancia su primera experiencia con la alucinación y las drogas.

El voto en Land in Blue es como la acumulación de sellos, adheridos a la cartilla. Cada individuo acumula votos en función de las cantidades y precios de lo que compre. Más compras, más votos. Una compra de mucho dinero se traduce automáticamente en muchos votos para la sigla estrella del ingeniero jefe. Una compra de menos dinero se traduce automáticamente en unos cuantos votos para la sigla secundaria del ingeniero jefe. El ingeniero jefe está detrás de todas las siglas. No compras, no votas. Si compras salmón ahumado, tu voto irá hacia un lugar; si compras bofe e higadillos de pollo, irá hacia el otro. Pero todos los lugares serán el mismo. Los eslóganes de la mujer madura para publicitar delfines en aceite tienen más resonancia social que sus propuestas políticas siempre pensadas para atrapar la atención, escandalizar, propiciar el consumo en la red.

Telas de araña.

«Moscas», escribió la mujer madura en otro papelito cuyo paradero hoy desconoce. Si lo encontrara, tampoco sabría exactamente qué es lo que había querido decir.

Taxidermia literaria

Cucú revisa los puntos del proyecto de los padres fundadores, máscara colectiva del ingeniero jefe, figura retórica inversa de la metonimia de la parte por el todo, política estrategia para restar autoritarismo a un yo exento y demasiado libre que inventa/gestiona a su medida Land in Blue. Cucú rebusca en su tesauro y encuentra una horrible verdad: alguien manipuló torticeramente –adverbio digno de análisis, el dron subraya en rojo–, *torticeramente*, los significados de los conceptos *invención* y *gestión* para que se liguen como esa salsa pepitoria de la que Cucú tanto sabe por su vínculo con las gallinas. *Invención* y *gestión* forman parte del mismo campo semántico que otras combinaciones de palabras como *creatividad financiera, modelo de negocio, emprendimiento imaginativo*. El dron avanza en la disciplina del comentario de texto y subraya en rojo las disposiciones del proyecto de los padres fundadores –solo hay uno–, aunque no sabe si se atreverá a transmitir sus subrayados a la Central de Peritas Caligráficas y Redacción de Documentos Oficiosos.

Scanning. Búsqueda de información específica. No un tumor. No un esguince. No un pólipo. Busca un anexo. «En esta tierra todo el mundo contará con su ángel de la guarda cuando exista la provisión suficiente de materiales metálicos y fibra de vidrio. En épocas de carestía –todas–, tendrán prioridad los especímenes raros.» El dron vuelve al espíritu de la ley y de la letra: Selva, por su juventud y sus anclajes, es animal en extinción. Debe ser mirada. No como ella querría, se le ocurre a Cucú. Pero.

Debe.

Ser.

Mirada.

Omnívora. Fértil. Vientre huevo para el programador. «Amazona», lee Cucú en el informe. «Puntería», lee en el informe. Y deja de leer hasta llegar al tampón que marca «Información reservada». Cucú vigila a Selva, entre otras razones, porque cifró un mensaje: «Limpia es la palabra...». Y bla, bla, bla. Cucú lee por encima. Entre sus funciones decodificadoras, junto a la búsqueda de información específica, sobresale otra microhabilidad –*skill*– anglosajona: el *skimming*. Leer por encima. Leer la piel y, desde la piel, alcanzar la pulpa-vulva. El meollo. El osobuco del texto terso terciopelo pelillo cabeza de Nefernefernefer, ínclita puta en *Sinuhé, el egipcio*. Cucú, amante de la literatura finesa, Cucú cinéfilo. «Yo no soy una mujer despreciable.» La cabina de Cucú se satura con la voz de la dobladora al español de Bella Darvi. Cucú siempre oye la misma voz en todas partes.

La habilidad para el cifrado de Selva Sebastian podría emparentarla con una genealogía de difícil encaje en Land in Blue (Rapsodia). En Land in Blue (Rapsodia) no hay bibliotecas. Cucú lo ha comprobado durante su último vuelo. Las bibliotecas no tienen sentido. Sin embargo, la editorial de esta metrópolis, país, continente, mundo, no solo reedita a los clásicos, sino que mantiene vivos a los escritores muertos gracias a la mano de una escritora fantasma –*ghost writer*, señala el traductor automático– capaz de imitar todas las voces. Cucú revisa el catálogo único: Nabokov acaba de publicar una última novela titulada *Mariposa amarilla*, pero se anuncian muchas más, *Juanita, Pálida memoria, cállate de una vez –shut up!*–; Marguerite Duras sacará en breve *El amante de la China Arrebatada*; Sartre, resistente a los asesinatos del prestigio, ha publicado *El humanismo es una patraña*; Italo Svevo se vuelca en la escritura del yo –siempreviva– y su última obra hasta el momento se titula *El cigarrillo que nunca me dejaron fumar...* Obras nuevas. No obras «a la manera de». Tampoco obras «Pierre Menard», que escribió *El Quijote* originalmente en las condiciones adversas de un mundo sin claves para escribir la novela cervantina. Estas son obras impecables. «Familiares y, a la vez, tan sorprendentes», reza el eslogan de la editorial única.

Cucú revisa cronicones amarillos y prensa de sucesos: «Hay quien dice que alguien practicó actos de brujería, con palabras y conjuros, o resucitaciones químicas, con enormes jeringas cargadas de un líquido verde, y que un grupo selecto de practicantes del oficio de escribir, acaso inmortales por sus obras o puede que zombificados, rasga eviternamente pergaminos y cuadernos con las puntas de sus estilográficas. Un hechizo los obliga a repetir para siempre el mismo gesto. Y escriben, escriben, no paran de escribir: Highsmith, Sergio Pitol, Tabucchi, Carmen Martín Gaite. Supuestamente, el grupo moraría en una isla situada en uno de los confines boreales de Land in Blue (Rapsodia) a imitación de aquellos difuntos pop que decoraban las paredes de las hamburgueserías y los pubs en el periodo preinfeccioso...».

Cucú, aunque nunca se lo perdonará, se salta un trozo del escrito. Le encanta sentirse culpable, aunque en teoría no pueda sentirse nada. «Murales con retratos de una Marilyn que no sucumbió a los somníferos ni fue asesinada por los servicios secretos, de un alcoholizado Presley, del club de los treinta famosos muertos a los veintisiete años, de Andy Warhol impecablemente peinado, Bogart y Bacall al fin reunificados para darse fuego mutuamente... Todos convivirían con su equipo de cirujanos plásticos y sus arqueólogos y sus maquilladores en inexplorados archipiélagos protegidos de la mugre.»

Cucú cataloga las informaciones en el apartado de leyenda urbana y necrofilia. Y vulgaridad. El verdadero misterio de la ininterrumpida escritura de grandes obras permanece encerrado en la cabeza de la escritora fantasma: los pequeños muñecos, instalados dentro de su cráneo, teclean e imprimen sin cansarse y ella reduplica sus voces en una polifonía eterna que los mantiene vivos, universales, pendientes de la actualidad y fieles a su estilo para siempre. Nadie en Land in Blue (Rapsodia) echa en falta una renovación. Salvia. Sangre nueva. Los ojos jóvenes están momentáneamente clausurados y los ojos viejos, con presbicia y cataratas, agradecen conservar la ficción de su propia juventud.

La colonización, las invasiones sangrientas, de las sinapsis cerebrales de esta escritora oculta le provocan agujeros en la percepción y en el recuerdo de su propia historia. Han hecho de ella un ser cansado y melancólico –Cucú computa: estas palabras se acompañan con asiduidad–, que ruega por escuchar un número no tan multitudinario de voces y por tener menos cosas que decir. Le gustaría tramar su propio relato y que se renovase el ramillete de artistas de la necrosada literatura de Land in Blue (Rapsodia), pero el envejecimiento de la población impide que el sueño de esta trabajadora se cumpla. Los PDF se acumulan en su portátil y son transferidos a la nube por su dron nodriza, que los pone a disposición de clientes ávidos de leer la última novela de Natsume Sōseki o de Jesús Fernández Santos. Incluso de Cecilia Böhl de Faber, muy solicitada por las costureras de Land in Blue (Rapsodia) y por los viejos cuidadores de aves marinas.

Última es una palabra imposible en este contexto y Cucú la borra.

Obras nuevas escritas como resultado del profundo conocimiento, de la empatía sensible, de la posesión demoniaca. Qué cansado ha de estar el cuerpo de esta mujer. Desnuda por fuera, por dentro la asfixian gasas y organdís de los baúles prestados. Las arpilleras y la lana vasta. Dicen que sus lagunas son ya tan grandes que ni los agrimensores más experimentados se sienten capaces de acotar sus límites y desecaciones. Su identidad se mantiene en el más estricto secreto, pero hay quien reconoce su estilo en la redacción poética de eslóganes para la comercialización de delfines en aceite y tuits no tan incendiarios que el ingeniero jefe leería con atención –«con minuciosidad» sería un exagerado complemento circunstancial–: de todo ha de haber en la viña del señor, del señor programador y del ingeniero sumo. Es necesario matizar las tiranías.

Cucú ignora de dónde le llega esta incómoda información que borra *ipso facto* de sus condensadores. A veces el dron finge ser más ingenuo de lo que es en realidad. Cucú sabe perfectamente que todo lo incómodo procede de Flor azul y su amadrinamiento. El hecho de mentirse a sí mismo lo complace, lo electrifica, lo coloca en un nivel superior. A la vez, preferiría que no se notasen tanto las huellas pedagógicas de Flor azul en sus circunvoluciones de pollito.

Cucú quiere ascender. Así que, por tanto:

El dron admira la capacidad de producción, trabajo, destrucción de esta trabajadora anónima. Y punto. Y pío.

Pese a todo, archiva los datos en su histórico: ni la escritora fantasma ni sus actividades son relevantes, pese a que el dron ha establecido conexiones entre las memorias extraordinarias y los extraordinarios rencores; entre las inmensas amnesias y la imposibilidad de venganzas. Los elementos, separados en sus respectivos conjuntos, se unen a través de flechas de doble punta. Todo lo que pasa en Land in Blue (Rapsodia) está pasando realmente. Incluso las imposturas y los textos imaginarios. Suceden los textos imaginarios. Y los programas de la televisión.

Un dron amigo le pasa un mensaje anónimo: «La escritora fantasma está agotada, no quiere vivir, folla por correspondencia y también con hombres de carne y hueso, escondida entre los matorrales de las violáceas flores de los jardines públicos. Se comporta como una perra en celo. Al menos, eso es lo que se dice por ahí. Firmado: Un amigo».

Cucú no utilizaría esas palabras –*folla, folla, folla*–, pero le encantan las letras de periódico recortadas, y la perdida y siniestra tradición de los anónimos que empieza a ponerse de moda en Land in Blue (Rapsodia).

Folla. Pollito. Dron.

Tratamiento experimental

La mujer almacena mucha ternura en las yemas de sus dedos cada vez que disca el número de Bibi. El orgullo de usar aún la voz y de que su tono pueda delatarla la hacen creerse valiente. El teléfono de baquelita negra es un artefacto político: «Bibi, hoy he soñado...».

46

La ingenuidad de la mujer desconcierta a Flor azul, que activa el protocolo de inputs prioritarios al oír cualquier palabra ubicable dentro del corralito semántico de los sueños. Cuando pase por el hangar, Flor azul entrará en la máquina de autolavado, se refrescará con las burbujas, se relajará en el cosquilloso centro de las escobillas. La grabación de los sueños ensucia a Flor Azul de barro y salpicaduras contaminantes de cielo amarillo. A veces Flor azul querría organizar una revuelta contra el ingeniero-programador, contra el mago de Oz, contra el flujo energético, que la obliga a cumplir con ciertas tareas. Pero, como mucho, la florecilla propone tímidamente la fundación de un sindicato en el hangar. La idea encabrita a los drones más jóvenes. Algunos sufren electrocución y combustión espontánea.

Por fin, la mujer madura sale de la cama y baja a la calle para hacer su turno de limpieza. Hoy le toca barrer de la manzana siete a la catorce. Después volverá a casa, y preparará los tuits viceministeriales y los anuncios de jabón para lavar la ropa a mano con los que se saca un sobresueldo. Porque ella ahorra para atravesar Land in Blue. Aquí las distancias minúsculas equivalen a distancias astronómicas, y quizá un día Tina la eche tanto de menos que no pueda soportar su ausencia y le envíe un mensaje para que pase a buscarla. La mujer a menudo repite el contenido de los tuits y los eslóganes de burbujas. Para Flor azul no es importante que la mujer olvide la consigna del día anterior y la repita al día siguiente. Un olvido similar –el mismo no, porque los sesos de la mujer madura están corroídos, además, por los gusanos del arte– esponja y sorbe el cerebro del noventa por ciento de la minoría de la población adulta que no hace gimnasia. La ciudadanía de Land in Blue se siente cómoda con las repeticiones y los runrunes. Con el ruido de fondo de los generadores, los medios de comunicación y los aparatos de aire acondicionado, que si algún día cesa traerá la catástrofe. Es tranquilizador escuchar cómo los ventrílocuos tragan saliva. Olvidar y repetir son acciones básicas para la supervivencia y el eterno cumplimiento de los ciclos previstos por el ingeniero jefe. A Flor azul ahora no le da la gana profundizar en este asunto ni en otras tomas del palacio de invierno.

Lo que se oye sin ser escuchado calma –el latido del corazón materno dentro de la bolsa fetal–, pero puede también producir tanta inquietud... Una vibración a la que no se atiende comienza a formar parte del cuerpo. Y qué pasa cuando llega el silencio puro. La sequía. La parálisis.

Suena la persiana metálica de un local comercial. Se cierra de golpe. Estruendo casi inadvertido. Percusión. Es el futuro. Y la banda sonora de Land in Blue (Rapsodia).

Flor azul es un dron tan experimentado que puede permitirse el lujo de elegir acciones que rotula bajo la expresión «No me da la gana». No le da la gana autolimpiarse el aceite, no le da la gana que le cambien el color de la carrocería, no le da la gana transmitir toda la información de la mujer madura al ingeniero jefe que no va a entender la delicadeza de este ser humano pequeño y dañado. La mujer, tan sensible, teme que ni siquiera vuelvan los tiempos malos. Se lo dice a Bibi. «Dame otra, Bibi», se burla hablando con su amiga. Las repeticiones también a ella le producen alivio y Bibi es la mejor actriz dramática: «Volverán, querida, volverán». Pausa. La mujer madura aguarda clavándose en la oreja los agujeritos del auricular. «Los malos seguro que volverán», se carcajea la carismática tesitura vocal de Bibi. La invisible actriz dramática no ha de preocuparse por su físico. Nadie la ve dentro de su cabina de fieltro oscuro. La mujer madura se la imagina como un escuerzo. Calaverita nerviosa que mueve mucho las manos al hablar y a la que se le marcan en el cuello las sogas yugulares. «¿Los malos? Esos, seguro...» Flor azul saca la clavija y la voz de Bibi caracol vuelve a esconderse en su rollo sonoro.

Bibi es una bruja porque es mala, no porque posea una bola de cristal. Esta idea reconforta a la mujer. Flor azul no quiere pensar lo que está pensando: Bibi es una bruja porque no existe o existe de un modo tan relativo que nos conduce a reformular el concepto de *existencia*. Apuntes filosóficos de Flor azul, que ya no tiene el cableado para estos trotes. Le dan neuralgia.

El inofensivo intercambio de ironías entre la mujer madura y una Bibi relativamente existente se produce un día tras otro. Pero cuando la mujer madura sale a la calle para cumplir con su turno de limpieza ya no podría reproducir con exactitud la conversación que acaba de mantener con Bibi. Olvida. Flor azul no necesita ser demasiado original en las réplicas de Bibi para el cotidiano guión telefónico.

Flor azul contabiliza el deterioro cognitivo de la mujer madura. «¡Sal de esa cavidad, Alfonsina Storni! ¡Sal de esa cavidad, Italo Svevo! ¡Sal de esa cavidad, pegajosa Emilia Pardo Bazán!», les diría Flor azul a los craneales residentes de la mujer madura mostrándoles un crucifijo y un hisopo de agua bendita. El deterioro es demasiado rápido y solo un suceso imprevisible podría detenerlo.

Bloquearlo.

Revertirlo.

La mujer madura está siendo sometida a un tratamiento experimental del que la única responsable es Flor azul. No ha informado a las autoridades sanitarias. Lo habría hecho de saber quiénes son.

La mujer madura importa tan poco como Alfonsina Storni, y Flor azul puede trabajar a su aire, pero sin traspasar ciertos límites que quizá inquietarían a los ventrílocuos o al mismísimo ingeniero jefe.

Lo imprevisible sucederá con una seguridad absoluta y esa seguridad absoluta provocará que lo imprevisible deje de serlo. Flor azul no se esmera y, a la vez, se siente íntimamente orgullosa de las poquitas lecciones que pudo darle a Cucú en el hangar. Inoculó en él el huevecillo lombriz de cierta sensibilidad poética. Al ingeniero dios blanco jefe la mujer madura, sus dones, la retórica no le interesan mucho. «De los sos ojos tan fuertemientre llorando.» El ingeniero no lee. Le interesa más la ortografía, aunque tampoco se le da muy bien.

Él es más orto.

Es más.

Golondrina oscura

Cucú anida, como golondrina oscura, en el alero de la casa de enfrente de Selva Sebastian. Tiene una misión y eso lo abrillanta. Sobre la joven recaen sospechas y acusaciones. Algunas se sitúan sobre la línea del tiempo de detrás de la aguja que marca el presente. Hechos consumados. Otras, las más peligrosas, son futuribles. En realidad, no es necesario aportar pruebas ni motivos punibles para la asignación de un vigilante. En realidad, carecer de un dron es una rareza para la ciudadanía de Land in Blue (Rapsodia). Aunque los recortes han mermado últimamente la población de drones. Sin embargo, a Cucú le gusta creer que su tarea es especial. Que él no es un dron cualquiera. Golondrina oscura. El dron aguarda. Se camufla en el alero. Podría ser un murciélago infeccioso, pero es una expectante máquina de última generación.

Es Cucú, y en su bodega-recámara brillan los proyectiles anestésicos y otros sacacorchos.

Todo está roto, pero no termina de caer

Flashback. Exterior día. Al habla y detrás del objetivo, subida a una grúa, Flor azul.

A la mujer madura su sueño acaba de hacérsele realidad. Una distancia de un metro y cincuenta centímetros, sobre el sendero de un parque, la separa del desconcierto del hombre que tiene enfrente. El metro y medio se dilata por la vergüenza.

«¿Y Pablo? ¿Pablito?»

Estas palabras acaban de salir de su boca. Ella las ha escuchado y aún no lo puede creer.

Fin del *flashback*, o sea, la analepsis, y Flor azul se pregunta cuál de las dos palabras es más indescifrable, papi.

La mujer madura estaba haciendo un descanso en su misión de barrendera voluntaria. Había dejado la escoba apoyada en una farola isabelina y caminaba liándose un cigarro cuando se tropezó con el hombre del terno oscuro. Las tierras del nuevo cielo amarillo se llaman Land in Blue (Rapsodia) por la nostalgia de una atmósfera ignífuga y azul, y por el color de las flores de su mundo secreto: el Subestrato. Aquí, en Land in Blue (Rapsodia), las personas se visten como quieren no solo porque las temperaturas sean cada vez más homogéneas, y el frío y el calor se hayan subjetivizado, sino porque cruzar el *downtown* con

51

un tanga hilo dental por las pasarelas transportadoras de cualquier ciudad helada representa una forma de libertad genuina. La mujer escribió un tuit de gran impacto en torno al libre albedrío, el relativismo y la moda. Esta reflexión aforística, muy discutida en las redes donde ahora se llevan a cabo las defensas de tesis doctorales, fue el desencadenante de la llamada del viceministro. La mujer se tragó el orgullo y las pasiones por imperativos de supervivencia diaria. Era imprescindible comprar mucho limpiahogar general y muchos analgésicos.

Miró hacia el cielo. El hombre y ella estaban rodeados de cipreses sobre la línea amarilla de un senderito. Los peores presagios se acababan de cumplir. Había saludado al hombre y le había preguntado por Pablo. «¿Y cómo está Pablo?» Él parpadeó dos veces. «¿Pablito?», a ella se le rompió la voz. Como si no supiera lo que acababa de ocurrir. Como si no lo hubiese vivido una noche detrás de otra.

La estampa se congela y la mole de hielo, que la contiene, amenaza con romperse a causa de un hilo, una fisura, que va recorriéndola a toda velocidad. Ojalá la rompa pronto. Ojalá la haga estallar. «Que se rompa, que se rompa, que se rompa ya y salgamos empapados de esta hibernación», reza la mujer. Pero el hilo se detiene. Todo está roto, pero está parado. No termina de caer. No tiene arreglo y el dolor se agrava detenido en la fractura. Detenido dentro de la masa de hielo vertical que enclaustra los cuerpos.

Entonces ella quiere creer que quizá la muerte sea un estado relativo. Se le nubla la vista que se le recoloca de nuevo al sonreír muy estúpidamente.

Si se desmayase, Flor azul descendería de los cielos para amortiguar su caída. La flor protege, la flor vigila. La flor vigila, la flor protege.

Pero la mujer conserva un corazón poco propenso a los vahídos y aguanta, sin necesidad de sales ni asistencia en carretera, su barrunto de colapso. En el instante inaugural del encuentro, el dron angélico, que acompañaba al hombre, había saludado con una inclinación de cabeza a Flor azul para retirarse con cortesía y conciencia jerárquica. Deja a su protegido en buenas manos, y es imprescindible repartir equitativa y racionalmente las labores de vigilancia cuidadora. No hay drones para todo el mundo y el pluriempleo está al orden del día. Jornadas que erosionan los materiales del dron. A Flor azul la solivianta esta precariedad. Al angélico dron, mientras cambia de rumbo para asistir a otra alma cándida, solo le llega un eco de lo que su protegido dice: «Pablo está muerto».

El dron angélico vuela ya demasiado alto para volver atrás y preparar la cataplasma que alivie al abrigadísimo hombre del parque. El dron angélico se desentiende. Flor azul, por fin, está completamente al mando.

El protocolo terapéutico continúa sin interferencias: «¡Sal de esa cavidad, Orhan Pamuk! ¡Sal de esa cavidad, Adonis! ¡Sal de esa cavidad, Dorothy Parker!». Es preciso hacer sitio para que otros recuerdos puedan volver a casa.

Limpia, omnívora, sexualmente activa

Selva Sebastian toma el sol. Veinte años. Auxiliar en una residencia. Soltera. Padre no tan desconocido: Gatsby Sebastian suena a pianista de restaurante en el paseo de la playa. En las hipótesis de Selva, Gatsby Sebastian habita el Subestrato, la subterránea región de este Landinblú al que Selva llama Blandinblú cuando se pone chistosa. En el

Subestrato, allí, reside la aristocracia protegida del fuego de la atmósfera y de sus mortales miasmas pulmonares, hepáticas, retinianas. *Mortales* y *fuego* son dos palabras exageradas, incluso exageradísimas, en opinión de un lingüístico Cucú. La región subterránea funciona con tecnología clase A plus. Allí no hay servilletas de papel ni tambores de lavadora que, en el centrifugado, emiten sonidos infernales.

Selva es inquilina. Revisiones ginecológicas actualizadas en la farmacia bajo la supervisión de un doctor que al acabar las consultas adopta maneras de serpiente de cascabel. Se pone una camisa de seda nueva. Es sibilante y sinestésico. Salpica saliva. A Selva le da *assssco*. Es fértil. Conecta la luz a un poste eléctrico. Lava a mano con el jabón cuyo eslogan escribe su madre. Si fuese conocedora de esta autoría, Selva dejaría inmediatamente de usar ese jabón. Cuarto de baño con bañera y mampara. Selva es limpia. Es omnívora. Es sexualmente activa.

Posee un televisor portátil con cuernos que data de 1990. Un ordenador de mesa. Tres móviles. Su novio es calvo esférico absoluto, tiene cuarenta y seis años, milita en un partido nostálgico que en realidad es una asociación taurina y militarista, tolerada por el ingeniero jefe. Tote Seisdedos. Como los de su pie izquierdo. Tote coloca el orgullo familiar, como los mismísimos cojones, encima de la mesa gracias a esta correspondencia entre su anatomía y su onomástica: «Yo me llamo Seisdedos porque los tengo. Porque los tuvo mi papa. Mi abu Alicio, y así desde tiempos inolvidables». «Inmemoriales», le corrige Selva cuando está de buen humor. «Y se dice papá, no papa.» «Yo llamo a mi papa como me sale de los huevos.» Tote y las granjas avícolas. Tote y el colesterol. Tote y el ingeniero jefe.

54

El dron detecta y archiva los pensamientos de Selva Sebastian en una carpetilla. La Rial Acadimia di li Lingua ha asignado a los drones la misión de recoger la ratonera lengua de la calle y también la de que no se pierdan las figuras retóricas por muy devaluadas que aparezcan en el uso común. Los drones atrapan verbos mariposa. Cazan con lazo *ozús, vive Dios, güevadas* y chascarrillos como perros vagabundos. La palabra *misión* es una de las que más reacciones positivas produce en los sensores del dron, que también ha retenido un detalle fundamental: las figuras retóricas últimamente se reservan al mundo de la publicidad como reservorio del imaginario político. Criptomensajes en las latas de delfín. La publicidad es el mando universal. Metáfora. «¡Correcto!» Flor azul le habría otorgado un punto positivo al dron que ahora filosofa: la poesía es otra cosita. Enálage, zeugma, quiasmo, epanadiplosis, sinécdoque; reorganiza las entradas de su memoria por orden alfabético y la pantalla, en su reordenación, le ofrece un efecto de centrifugado gráfico que se revierte en movimiento centrípeto: cada cosa vuelve a su lugar.

Tote lleva reloj y cadena de oro. Carece de ingresos regulares –¿«Regulares»?, el aceite con que engrasaron las piezas de Cucú debe de proceder de la General Motors–. Carece de ingresos fijos. Tres nenes. Pi, pi, pi. Casado. Pobre con conciencia de rico: esta conclusión epifonema le llega a Cucú de algún cruce marxiano de líneas, la interferencia de una radio libre, que, pronto, muy pronto, un ventrílocuo informático localizará, neutralizará, depurará, en enumeración gradativa ascendente.

Selva Sebastian entra hoy a la residencia en el turno de tarde. También hará la guardia de noche. Ahora toma el sol y ha tecleado en el cuaderno de notas de su pepinomóvil: «*Limpia* es la palabra con la que no puede empezar ningún poema». Escribe sin figuras retóricas –o casi– y moja una porra en un vaso de café con leche. El vaso es de duralex ámbar. Es el futuro. Sobre la mesita, protegida por un hule de cuadros, descansa una revista de autodefinidos.

Todos están resueltos con dos tipos de letra.

Cucú pide refuerzos.

Cabeza de chorlito

El hombre es una de esas personas a las que la mujer madura conoce hace mucho. Forma parte del paisaje. Un amigo en sentido laxo. Ninguno de los dos sabe hasta qué punto puede contar con el otro ni si se recuerdan cuando no están presentes. Son amigos. Se miran y sonríen al coincidir en lugares. Nunca se han hecho mal ni un bien del que dejar constancia. Así que quizá el hombre sea un verdadero amigo dispuesto a responder ante las mayores dificultades. Ella no podría decir que no sea así. No tiene ningún motivo ni para decir eso ni para decir lo contrario. Nunca se habían puesto a prueba.

«Excepto hoy», se lamenta la mujer madura, que aún no ha logrado escapar de su cobertura helada. El hombre del terno y ella siguen en el interior de un polo de sandía.

La mujer madura y el hombre nunca forjaron un vínculo tan exigente y sólido como para justificar el rompimiento por exceso de tensión. Explosiones. Reproches. Todo suave, suave. El hombre que ahora la mira, como herido animal bajo su máscara de pelo, es un amigo plácido. Acaso los amigos plácidos y circunstanciales sean los únicos que realmente merecen ese nombre... «¿Y cómo le va a Pablo?», ha preguntado la mujer sin recordar que Pablo, una persona tan importante para el hombre a quien pregunta y para ella misma, murió hace años de una muerte prematura y alevosa. «¿Y cómo le va a Pablo?» Pablo era el hermano del hombre. «A Pablito, ¿cómo le va?» Flor azul está a punto de manifestarse, entre la humareda del cielo hiperpoblado, para inyectar un tranquilizante a la mujer con una aguja extremadamente hipodérmica. El ginedrón sentimental se retrae con la curiosidad de una telespectadora. Se mantiene a la espera con el émbolo preparado.

La mujer pequeña, occidental, siempre temerosa de no ser lo suficientemente cumplida, justo cuando formula la pregunta, repara en su falta. El rostro del hombre se desarregla. Una finísima arruga le recorre la frente cuando lo habitual es que su frente se parezca a la superficie de un espejo. La arruga ensucia su inexpresividad. Por educación y por gajes del oficio. Él vende medicinas, y la composición y posología de sus rasgos faciales no pueden delatarlo. Sería un gran jugador de póquer, pero no tiene acceso al Subestrato en el que reside la aristocracia ludópata y golferas de Landinblú. Los consentidos del ingeniero jefe, que, cuando va de visita, se quita el peto vaquero, se planta un esmoquin y baja al subterráneo, jugando con sus fichas doradas, como un profesional de los casinos de la Costa Azul. Allí el hombre del terno lo ganaría todo, pero no tiene pase, y hoy su rostro no puede dejar entrever que el Tranquirrelax produce efectos secundarios más salvajes que el Normasleep, pero el Normasleep es más adictivo que el Tranquirrelax. Y provoca la caída del maxilar inferior. El comedimiento de ella es distinto: se relaciona con la repugnancia a infligir dolor y, también por gajes del oficio, con su versatilidad y su camaleónica destreza para ponerse en el lugar del otro.

A esta mujer occidental, de fenotipo pálido y víctima de dolor crónico de espalda, le gusta hacer la vida agradable a los demás y quizá, por esta razón, se fatiga mucho y no confía en su cabeza de chorlito.

El dron chucho de Selva Sebastian

Selva Sebastian no se deja llevar por la cinta transportadora, sino que avanza sobre ella con paso decididísimo. Cada día, una vez que ha obtenido su tique de cartón, su billetito de transporte, rústico y lleno de gérmenes, Selva corta el oxígeno, el nitrógeno, el argón. La fuerza de sus zancadas, una vibración teutónica y tectónica, avisa a los transeúntes de que deberían apartarse. Conviene que lo hagan si quieren conservar su integridad física. Es un consejo de seguridad.

«En aras de la conservación de su integridad física, les advertimos: apártense.»

La voz de Bibi no deja lugar a dudas. La voz de Bibi ha sido utilizada en las grabaciones del departamento de transportes y orden público.

El dron subalterno –no, no, no, este no es Cucú– se ve obligado a meter la sexta marcha para seguir a Selva Sebastian sobre la cinta trasportadora y, a intervalos regulares, emite un sonido de sirena para avisar a los viajeros de que deben dejar paso. Los viajeros se pegan a los laterales de las cintas esperando que pase una moto ambulancia o un furgón, pero se encuentran con una mujer alta, joven, delgada, fibrosa y limpia, previsiblemente omnívora y fértil, ataviada con una bata blanca en cuya solapa oscila una tarjeta de identificación: «Selva Sebastian. Residencia Los rosales aromáticos». La tarjeta golpea el torso de la mujer que calza unas botas negras y lleva perfectamente recogido el pelo en un moño.

Selva se abre camino a codazos entre los pasajeros más lentos. Con cada inspiración ombligo busca columna vertebral. Ombligo y vértebras coinciden en el mismo punto interior oscuro tensando la espalda como filo cortaplumas. Selva mira de reojo al dron para que ponga la sirena amarilla. Se lamenta de que sus impuestos no valgan para nada. Se caga en los políticos. Pide un golpe de Estado, pero enseguida se da cuenta de que esa petición no va a ninguna parte. El Estado no existe, no es, no se le espera. Selva es quizá un nombre premonitorio. Su madre, antes de deslizarse por su tobogán lisérgico y reventarse el pecho a porros, no era completamente estúpida. Selva Sebastian protesta porque siempre le asignan los drones más viejos, los que tienen ya la picha floja y los sensores tan cuajados de legañas que ni admiran ni pueden transmitir en tecnicolor su fulgurante imagen. «Para qué pago mis impuestos, ¿eh? ¿Para qué los pago?», la joven mujer omnívora mira al cielo y le hace una peineta. Mira al dron subalterno, como accesorio de Dios y del ingeniero jefe, y le hace una peineta. Selva ignora que su dron de última generación se ha quedado en el alero de enfrente de su casa. El dron golondrina cuenta con sus propias razones fascinantes. Este dron no es Cucú. No se le parece. Ni querría parecérsele.

Nadie sabe para qué paga impuestos en Landinblú. Quizá para que el ingeniero jefe aumente su colección de cinturones con hebillas de pedrería. Para su colección de maquetas de aeromodelismo. El programador no es un ente líquido. Tiene colon. Tiene páncreas. Se estriñe y se purga. Es sólido. Eructa y produce gases tóxicos como los que motivaron el exterminio de las vacas. *Pacíficas* viene de *pacer*. El programador se autoclonará. Selva se guarda el dedo tieso en el bolsillo de la bata. Ella es tan solo una mujer pobre que sueña con vivir sobre una línea de mar azul cobalto en un paraíso fiscal lleno de pelícanos. A veces fantasea con plantar a Tote para enrollarse con un youtuber de Bermudas. A Tote el miembro ya le languidece como a los drones chatarra, como a los vibradores y succionadores sin pila, y además acumula un montón de problemas de hombre casado y paterfamilias. A Selva las pollas le importan. Es omnívora y falocrática.

Selva sabe que es vigilada. Perseguida. Tiene una relación contradictoria con los drones: los ama y los odia. No la vigilan para nada bueno, pero ella no podría vivir sin esa vigilancia. Como sospecha que no la vigilan para nada bueno, hace de la necesidad virtud y los usa como escolta, rottweiler, objeto suntuario personal, elemento disuasor de proximidades indeseadas, marca de clase. Pero, a estas alturas, a Selva Sebastian se la sudan todas las grabaciones de las que pueda ser protagonista, así que no aminora la marcha, levanta el mentón, posa, sonríe directamente hacia la cámara del dron subalterno, que, durante un segundo, pierde aún más nitidez en la recepción de la imagen por culpa del destello de la circonita que Selva lleva incrustada en uno de sus incisivos. «Clin», escucha el dron sinestésicamente a través de uno de sus cables rojos.

Selva Sebastian va a darle la vuelta a su fotogenia de convicta y sospechosa. A su libertad absurdamente vigilada. Y mientras multiplica la velocidad de sus pasos sobre la velocidad de la cinta transportadora por efecto de una ley física muy simple que, sin embargo, ella desconoce, pero de la que se beneficia, del mismo modo que se beneficia de la magia de la electricidad, los dispensadores de gel hidroalcohólico, la autoclave, las pistolas táser, los sifones o los programas para componer música sin saber solfeo, Selva hace planes.

A ambos lados de la cinta los árboles de ánodos y cátodos pasan vertiginosamente. Velocidad de los jardines electrónicos: la pantalla del dron, poco entusiasta, recibe el título, adaptado a las nuevas exigencias futuristas, de una melancólica colección de cuentos. Selva nota un pequeño acalambramiento cuando atraviesa un hilo wifi. Es como una picadura de medusa que la carga de energía para reforzar su alegre propósito: va a dejar su empleo en Los rosales aromáticos. Selva Sebastian está preparando una perfecta coreografía de treinta segundos que la lanzará a la fama y arrebatará el corazón de todos los youtubers e incluso de algún nanotecnólogo. Quién sabe si el ingeniero jefe dejará ese onanismo que ha suscitado tantos rumores. Los ovinos proyectos de autoclonación. La joven lanza una patada al aire. No ensaya *El lago de los cisnes* y no le interesan las metamorfosis ni los trastornos disociativos de la personalidad, de Odette a Odile y viceversa. Selva está hasta el coño de drones pajaritos que se le enredan en la cabellera voraginosa. Hasta el coño de leyendas nórdicas y gestos elegantes. Selva Sebastian quiere *flow, amazing, tasty, sweet.* Selva Sebastian se relaja epilépticamente jugando al Candy Crush. También la hipnotizan las coreografías de adolescentes con síndrome de Down colgadas en TikTok y las páginas *vintage* de bailes en Instagram: dos hombres negros, con frac, saltan y caen al suelo abiertos de piernas, se alzan como si alguien los levantase con un hilo y oscilan hacia un lado y hacia el otro, suben unas escaleras absurdas, inverosímiles y hermosas, que solo están ahí para que ellos las suban y vuelvan a saltar aterrizando con la pelvis. No se oye el sonido de la catástrofe en la huevería. Todo es tan elegante. Selva Sebastian flexiona

61

las rodillas y se queda en puntas, comprueba que la temperatura de hoy es de diecinueve grados centígrados, recibe y emite, produce, se graba, se geolocaliza, juega, cuenta el número de pulsaciones... Si paras, el algoritmo te penaliza. Selva no quiere ser penalizada por algo que no le supone ningún esfuerzo. Tic, tac, tic. Aparta a los viajeros de la cinta transportadora. Se impone. Es veloz.

Los viajeros admiran a Selva como una rareza de juventud. Es una antigüedad. Un contrasentido en Land in Blue. Quizá solo por eso debería ser vigilada la bella flor, la rosada perla de una ostra triste. Selva Sebastian posa para papi:

«Mírame, papá.»

Una vez, la bella tuvo un triciclo.

La chica consulta el parte meteorológico: «Hoy no llueve y mañana tampoco lloverá». Qué sorpresa para Selva Sebastian. A veces teme que se le reseque el nombre.

La circonita produce electricidad dentro de su boca. Ella la dirige hacia el dron que, sobrevolándola, la guarda como cancerbero y como ángel. La máquina se bloquea otra vez por una interferencia. Selva domina los efectos paralizantes de su circonita sobre el dron. Le han asignado un dron fajador con la ITV pendiente. Selva ve las pegatinas en una de las patas que soportan las hélices: hay por lo menos ocho. Es un proyecto dron sin categoría. Si tuviese categoría, al menos se le podría considerar pieza de museo y dron arqueológico. Pero es un perro dron chucho. Un dron sin raza. Famélico y desganado. Un dron legión. Este demérito disgusta bastante a Selva Sebastian, que ha visto a delincuentes en potencia vigilados por drones supersónicos de última gama mejorados con un sistema de imanes para levantar del suelo a sus objetivos y transportarlos a donde corresponda. Majestuosos drones galgo afgano o caniche gigante. Selva tiene ganas de tirarle una piedra a su máquina para descacharrarla. Al apestoso perro mojado que, desde las alturas, puede dejar caer una pulga sobre la limpia señorita Sebastian.

Si el dron subalterno pudiese visualizar los movimientos pélvicos que la mujer limpia, fértil y omnívora ensaya en su cabeza, pediría el traslado. Es un dron demasiado viejo para aguantar ciertas cosas. Una pegatina con su nombre está a punto de desprenderse de la carrocería gastada.

Se llama Obsolescencia.

Es un dron macho que anhela la jubilación y sabe que el día del perro se celebra cada 21 de julio.

Sentir la caricia

Ahora, el hombre y la mujer madura están dormidos. Pero, justo cuando ella acababa de preguntar «¿Y cómo le va a Pablo?» y alargaba las manos para salvar la distancia que les separaba, él había dado un paso atrás sobre el sendero. La mujer se acordó en ese momento de todas las vicisitudes de aquella muerte concreta, y sus manos se quedaron suspendidas en el aire. Le pesaban mucho. Balbució «Perdón, perdón...», aunque pedir perdón dos veces en la misma frase es quitarle toda solemnidad y valentía, incluso le arrebata generosidad, al perdón disuelto en estribillo.

La mujer estaba torpe, muy torpe, y su propia torpeza la atontaba como un derechazo en el plexo solar del boxeador. Ella adora el boxeo, aunque entiende que ni su emoción ni su preferencia ni su frase tenían mucho sentido al lado del hombre esta mañana en el parque. Adorable, el boxeo. Adorables, los boxeadores. Adorable, el ring.

La mujer dio dos pasos al frente y abrazó al amigo. Rígido. Ella temía que el hombre le propinase un directo a la mandíbula, pero él dudaba entre pegar a la mujer o abrazarla. Amarrarla. Llevársela presa. Llamar a un dron murciélago. A un dron guardia civil. La mujer permaneció acurrucada en su axila, él le rozó el pelo, ya un poco canoso, pese al tinte de bronce que comienza a verdear.

Flor azul transmite y, por el detalle del pelo broncíneo y por muchos otros que ahora se reserva, podría proceder a una recomposición familiar. Desde hace tiempo Flor azul, ginedrón, reivindica la asistencia social entre sus funciones. Pero su iniciativa flota sin destino. Al programador estos reencuentros y anagnórisis le interesan poco. El ingeniero jefe prefiere el fútbol americano y es muy posible que ahora ande masturbándose contra los azulejos de su cuarto de baño.

No se le puede molestar.

Mano pequeña

El dron es un dron-pájaro nocturno. Contaminado por el plumón del nido, pone en marcha sus sensores y cámaras. Hace unas horas detectó un movimiento de muy corto alcance en el interior del piso de Selva Sebastian, que salió a las 15:26 para cumplir con su turno en la residencia. El dron-pájaro aplica una lógica silogística y comparativa, almacenada en la complejidad de su algoritmo, y deduce que Selva Sebastian volverá a casa a la mañana siguiente antes de que se levanten las gallinas. Luego, Selva Sebastian no es gallina, sino mujer mortal. El pensamiento del dron, que no es exactamente un dron, se sofistica, aunque la sofisticación no garantice profundidad ni tino.

El pensamiento del dron está lleno de gallinas, abejarucos y avestruces. Así se lo transmite a su código de barras, como mejora del sistema, agradeciendo a su programador haber previsto en su diseño el cofre de refranes de donde ha sacado «antes que las gallinas» como sinónimo de temprano, muy temprano. El dron no repara en su uso del masculino genérico universal asociado al estatus de dios, genio, creador o artífice. Programador. Ingeniero que se complace en las colecciones de cromos de fauna y flora en un ecosistema a punto de plegarse sobre sí mismo e inicializar todos sus procesos. Flor azul no estaría contenta con la insensibilidad inclusiva de Cucú. No se puede complacer a todo el mundo.

Parte meteorológico: «Hoy no llueve y mañana tampoco lloverá».

El dron alado abandonó la vigilancia de Selva Sebastian al captar dos tipos de letra en los autodefinidos y, muy especialmente, una mano pequeña que, sobre la mesa del comedor, iba a abrir una cajita. Eran las 14:37, y Selva Sebastian aún disfrutaba de su baño de espuma. El dron apuntó por si era necesario disparar. La amenaza fue desactivada. El zoom de la vista de pájaro se aproximó, en tres movimientos que le permitieron agrandar y contemplar en primer plano: un alfiler de novia con cabeza de perla; un perfume miniatura de los que regalaban en las perfumerías en 1973 e incluso antes; un diente de leche; un cuentagotas, con perilla de goma carmín, que se enroscaría perfectamente en la boca estriada de un frasco de gotitas para la trompa de Eustaquio; un rizo de tonalidad metálica sujeto por un lazo negro; el imperdible de una falda escocesa; una muñequina de plástico duro que carece de genitales; un pájaro artificial atravesado por una aguja de hacer punto.

Todos los objetos regresaron al interior de la caja antes de que Selva terminase sus abluciones y limpiezas. En la pantalla del dron con ojos redondos de pájaro, asustado y avizor, destellaba otra vez el verso que lo desencadenó todo: «*Limpia* es la palabra con la que no puede empezar ningún poema».

Sin embargo, a Cucú algo se le quedó dentro. Algo tan íntimo que ni siquiera se iluminó en su visor. Se quedó bloqueado en un lugar incógnito de su cableado venoso: un pájaro artificial atravesado por una aguja de hacer punto. Chispa y calambre. Autorresucitación y resurrección del dron-pájaro. La batería de seguridad salta, Cucú pidió un seguimiento alternativo para Selva Sebastian. Él se adhirió al alero de la finca de enfrente con la cámara fija en una mano pequeña y en su estremecedora casi ausencia de calor.

La noche llegará y el dron es un dron-pájaro nocturno perfectamente preparado para la protección de la infancia, el rosa del atardecer y la ausencia de luz.

También sabe que algunas niñas se afilan los dientes y ahogan a sus mascotas en la taza del váter.

Espera.

Cerrar la puerta

«Perdón, perdón...» La mujer, noqueada en el sendero del parque, había reparado en su error. Cómo había podido borrar de su cabeza: los párpados patológicamente caídos de Pablo, su visión doble, las tiritonas en el velorio, las risas por los nervios, el destrozado padre que se recuperó de su demencia senil para ser absolutamente consciente de que lo que pasaba había pasado de verdad. «Pablito», decía el padre aferrándose a la mano de la mujer madura con una fuerza de loco o de superhéroe o de persona que sufre mucho. «Pablito.» La mujer madura recuerda los dedos de pianista de aquel viejo. Cómo había podido provocar este daño a su amigo. Con la cara oculta bajo viril e inodora axila, la mujer se aferraba a ese amigo, al que solo había abrazado durante el entierro de Pablo. Un abrazo de pésame: «Él te quería mucho», recuerda que le dijo ese hombre, de pocas y graves palabras, que siempre le gustó a la mujer madura de un modo que va más allá del agrado y alcanza la excitación.

Ella, junto a los cipreses, se preguntó por qué nunca lo había abrazado en otras circunstancias. El lirón de su sexo se desperezaba con lentitud y eso le daba a la mujer madura mucha vergüenza. «Él te quería mucho», le dijo, y ella se sintió especial de una manera abyecta e inoportuna. Luego, en otros funerales, muchos pronunciaron las mismas palabras como si fuese ella quien tuviese que recibir consuelo. Los huérfanos, las viudas, las huérfanas, los viudos muestran su resistencia y su pundonor, su fuerza espiritual, consolando a las personas que acuden a acompañarlos en las ceremonias de la muerte. La mujer madura repara en que ya no existen estas ceremonias, pero no puede localizar el momento exacto en que dejaron de celebrarse. Quizá eran demasiadas. Quizá no había personal. Quizá se agotaron los stocks de gafas oscuras. «Él te quería mucho.» Por qué a mí. De qué manera. Qué cordelillo umbilical nos mantenía conectados... Ella se pierde y busca el aroma de los estambres de las flores violáceas.

Ahora, pese a la resistencia al dolor de la parentela de los muertos –la mujer madura prefería las camisas rasgadas, los himnos y las coronas, la exageración de las plañideras con los pies de arcilla, el hipo, la desesperación, la tez que tira hacia el amarillo...–, ahora ella tampoco entendía cómo había sido capaz de causarle al hombre una confusión tan hiriente por culpa de su desmemoria, su estupidez, su maldad. «Mis hijas...», la mujer volvió a meter la cabeza bajo la axila del hombre antes de confundirse con otros recuerdos perdidos.

Él no se liberó del abrazo. Su cuerpo permanecía impasible dentro de un abrigo que podría haber heredado de un tío abuelo. Un terno oscuro. La frente lisa y limpia del hombre es como un folio sobre el que comenzar a escribir. A la mujer le repugnan esas frentes gordas de carne que se pliegan en trozos para el estofado. Como disculpa, a la mujer solo se le ocurrió pensar que a ella le dolió tanto la muerte de Pablito que borró el acontecimiento y los detalles: los párpados patológicamente caídos, las tiritonas y las risas en el velorio, el testimonio documental, el certificado de defunción, la lápida blanca, ese padre... Alguien encendió un fósforo delante de sus ojos ciegos. Y se los quemó.

El amigo adquirió una expresión infantil. Era una criatura desconcertada ante un golpe extemporáneo de la autoridad. El padre, el jefe, un profesor de gimnasia. La mujer se atrevió a aflojar el abrazo y salió de la axila, se separó un poco. El hombre ladeó la cabeza. Olía a una loción dulce y a otra con aroma a turba. Olía a barbería. Era un hombre recién afeitado. A cierta distancia, la mujer lloriqueaba: «Pablito. Pablo». Cogió la mano del hombre. Se la llevó a la boca y la besó como si fuese la mano del Papa de Roma. Y le invitó a su piso de la calle Rey Melchor.

Flor azul hace avanzar tres posiciones su palanca rosa, primera, segunda, tercera, y se pone en modo rodaje de película francesa: una lentitud exquisita, una suave ironía pornográfica, un detenerse en las hierbas que crecen entre los adoquines, la orilla del Sena y un pueblo de provincias,

Antoine Doinel. Una textura previa a la irrupción de Luc Besson en las pantallas.

Flor azul teme ser sancionada: el ingeniero jefe no comprende el cine francés ni las oraciones complejas.

La mujer vive sola. Pero al traspasar la puerta de su casa, de la mano del hombre, recordó nuevamente a sus hijas, que, quizá por este tipo de torpezas y olvidos, también por sus maneras de arreglar las cosas, la habían abandonado. Ella prefiere no insistir mucho. Es más: se ha apartado casi completamente. Casi. Pero sus hijas, aun viviendo en un barrio inaccesible, desaparecidas, casi borradas, no están muertas. No puede caer en esa confusión. Al lado del hombre, la mujer nota la ternura en las yemas de los dedos. Incluso más ternura que al marcar el número de Bibi.

Al hombre le dio de beber vino y de comer pan con fuagrás. Le cogió de la mano y lo condujo a la alcoba.

Cerró la puerta.

Flor azul, que todo lo sabe y se aparta para no verlo todo también, sacaría un pañuelo para secarse la lágrima que le resbala por el rostro. Pero carece de un rostro definido más allá de su metálica piel y su línea aerodinámica.

No es perfecta, Flor azul.

Cajita

La niña llamada Cristina, alias Tina, alias Cajita, tiene el pelo ralo y oscuro, y un lunar en el pómulo. Vive con su hermana por razones a las que el dron no puede acceder. *Confidential.* El blanquísimo cuero cabelludo de Cajita fosforece entre los chafarrinones de su pelo negro. El dron principal archiva su apreciación pictórica en el capítulo sobre el lenguaje poético. Tina Cajita se cubre con

69

una bata de boatiné rosa palo y calza zapatillas de andar por casa con pompones de pluma. Calcetines de lana. La niña, con sus dedos de uñas mal pintadas, vuelve a extender y a ordenar los objetos de su caja de zapatos encima de la mesa. Podría parecer una tahúr que despliega su baraja, pero ella expele el vaho de su aliento en las palmas de las manos y las coloca, antes de que se enfríen, sobre los pequeños fetiches. Cierra los ojos. Los objetos se humedecen bajo las manitas.

El dron-pájaro despliega la nómina de ancianos psicólogos de guardia. Repasa la oposición lingüística *debería/ no debería*. El dron-pájaro, atendiendo al tamaño y edad de la criatura, al desarrollo de los miembros y la tipología de los movimientos y acciones de Tina, concluye que su acción de alertar a los psicólogos no es acertada. Los servicios sociales dejaron de existir *in illo tempore*. «Rosa, rosae», se empeñaba en recitarle Flor azul. «Incorrecto», escucha en sus altavoces. Anulación del requerimiento de soporte psicológico sin necesidad de papel verjurado ni lacres. Esto es el futuro. Respetamos el Amazonas. Respetamos las tribus aborígenes. Tenemos un compromiso con la fauna y con la flora planetarias. Se ha producido una interferencia con una escuela de marketing filantrópico. Pi, pi, pi. Reubicación.

«No toquéis a los niños», aullaron los ejércitos antivacunas en los albores de la primera ola infectiva. «Los niños no se tocan», hicieron sonar sus trompetas. El dron, como si llevase gafas de realidad virtual, es legionario en una película de romanos. La virtualidad es el recuerdo que le dice que los ejércitos antivacunas estaban apoyados por horticultores, teóricos de la conspiración y testigos de Jehová que portaban primitivas pancartas contra la transfusión de sangre. «Aleluya», lee Cucú en su visor y siente sus alas de plumón de ángel. Casi todos los niños murieron con la primera infección. Niños no vacunados. Niños limpísimos porque *limpia* es una palabra con la que no debería empezar ningún poema.

Por un resentimiento desviado, se demolieron las estatuas de Edward Jenner. Ahora, Cajita, los aislados infantes, las enfermitas párvulas son especímenes en riesgo de extinción. Crías en desarrollo, protegidas por la ley, que estudian dentro de sus habitaciones porque, en realidad, no quieren salir de ellas. Adónde irían. Con quién se podrían encontrar. Cucú reconoce en Cajita signos físicos poco saludables y despliega el menú de enfermedades infantiles. Bronquitis. Diarrea. Otitis. Varicela. Patologías seleccionadas por frecuencia y ordenadas alfabéticamente. El dron echa de menos las enfermedades del espíritu y comienza con su proceso de autorreparación. «Incorrecto.» La niña pronuncia unas palabras en una lengua incomprensible, no incluida en ninguno de los diccionarios del dron, levanta las manos y mete, de una en una, sus cosas en la cajita después de observarlas desde todos los ángulos posibles. Pone la tapa a la caja y la guarda debajo de su cama junto a otras dos cajas de zapatos. El dron atraviesa infrarrojamente los cartones y encuentra en la caja B una ratita viva y en la caja C un viejo hogarín: un saloncito en miniatura donde papá y mamá, con su pelo de fieltro naranja, ven la tele también encajada en el mueble bar.

«Ayuda.» El joven dron, recién salido del huevo, casi caído del nido, aún confía en la eficacia cuidadora y represiva de Land in Blue, y solicita una memoria portátil con conocimiento enciclopédico sobre reliquias, ritos y religiones del mundo.

De la central le mandan un manual de brujería y vudú.

Limpiahogares generales

Al llegar a la parada de Los rosales aromáticos, Selva salta de la cinta y da un pequeño traspiés. La fuerza centrífuga y su propia velocidad de crucero provocan ese pasito desacompasado, como un hipo, que a Selva le da risa. Antes de entrar, siempre echa una moneda por la rejilla del alcantarillado de delante de la residencia. Su padre la recoge, la abrillanta, se la guarda, y le transmite mensajes que solo Selva puede oír. Mientras tanto, sonríe a la cámara del dron chucho:

«Mira, mira, papá.»

Suenan persianas metálicas que se cierran de golpe. Percusión de los locales comerciales. Es el futuro y la banda sonora de Landinblú.

En las alcantarillas góticas del Subestrato, las clases privilegiadas viven protegidas de los efectos nocivos de la luz solar y de todo tipo de virus y bacterias. En la superficie, los virus y las bacterias se exterminan, en parte, con limpiahogares generales que provocan un deterioro cognitivo precoz en la juventud. Las personas adultas y viejas parecen estar inmunizadas porque fueron en su día hedonistas, bebedoras de güisqui desatascador y succionadoras antibacterianas de los chupetes de su descendencia: una inconsciente generación de bocas autoclave; sin embargo, la juventud, con las defensas bajas, sufre un imparable deterioro neuronal, un encogimiento que resulta de la combinación de los vapores desinfectantes y los destellos de las pantallas para jugar al Candy Crush. Matar el tiempo, matarlo, matarlo. «*Tasty! Sweet!* ¡Merengue doble! ¡Ya es la hooora!», grita el videojuego desde detrás de las pantallas líquidas. Y, de repente, la catatonia. La babita caída. El temblor.

Pero todo esto no son más que hipótesis. Ningún estudio científico corrobora las relaciones causa-efecto ni los efectos nocivos de la química porque el ingeniero jefe retiró cualquier partida destinada a la investigación con probetas y tubos de ensayo. Solo unos y ceros, ceros y unos, y algunas monedas para los filólogos especializados en Borges.

Para el relax de las personas adultas, casi todas pertenecientes a la categoría de los profesionales liberales, se cultivan flores violeta en los parques y jardines. Las personas adultas o maduras son en realidad un porcentaje ínfimo de la población. Muchas de estas personas establecieron contactos e hicieron chanchullos para habitar el Subestrato. Quedan almas errantes, seres que caminan sobre el exterior quizá como castigo a delitos ignotos. Mujeres maduras, hombres de las medicinas, políticos de buena fe, tres o cuatro gatos olvidadizos y enviciados con las flores violáceas y la hierba gatera...

Las jóvenes como Selva Sebastian son piezas exclusivas: especímenes inmunes a los efectos secundarios o primarios de cualquier agente químico, mujeres tan eléctricas y airadas, que solo pueden atenuar su energía por medio de sustancias inyectables con agujas hipodérmicas. Obsolescencia ha cargado en el hangar algunas ampollas por si fueran necesarias. Los elefantes en los zoológicos son anestesiados por el mismo procedimiento.

Por otra parte, Selva tiene la hipótesis de que su salvación reside en escribir un verso al día y completar test psicológicos que recibe en su pepinoterminal: ¿Oreja o serpiente? Ella ve las dos a la vez y sin incompatibilidad, pero renuncia a esas labilidades, a esa franja de incertidumbre, y decide con letras versales subrayadas «Serpiente más allá de toda duda». Luego Selva prosigue su camino psicológico: elija un árbol y sabrá cuáles son sus puntos débiles; diga qué animal ve primero y entenderá los peligros que le acechan; ¿cuál es su paisaje a través de la ventana? Selva escoge el árbol de los melocotones y la vista del sendero nevado a través de la ojiva. El tigre siempre es el animal que ve primero. El escarabajo dentro del conejo dentro del caballo dentro del tigre dentro de la morsa. Todos desenfocados, pero el tigre. Allí está el tigre de Selva porque ella está viva y pendiente. Con la circonita en el incisivo. El cerebro le funciona. Su signo del zodiaco es la cabra capricornio. Selva Sebastian, perfectamente adaptada a la verticalidad y el abismo.

La prescripción para consumir limpiahogares generales, pese a sus efectos secundarios, hace que la economía funcione. También la mantiene activa la producción de chatarra tecnológica y la industria textil. Los delfines en lata. «Lo que escuece sana, culito de rana», le dice Selva a Cajita cuando le restriega el cuerpo con los limpiahogares y le da una cucharadita de café para rematar el proceso de higienización. Limpia. Relimpia. Más allá de los poemas. En los angostos dormitorios y en los cuartos de baño.

Selva se gasta un dineral en limpiahogares generales porque teme por la salud de Cajita, que siempre está acatarrada y se queja de reúma como las viejecitas. Finge hernia inguinal y gota. También se pinta arrugas porque quiere envejecer deprisa, merecerse la vejez, no sufrir de la cabeza y poder ganarse el pan con el sudor de su pequeña frente. Como los enanitos y los viejecitos de Land in Blue (Rapsodia).

En Land in Blue casi se transita mágicamente de niñez a ancianidad. La juventud es el paréntesis que rompe la vida. El lugar del que no se sale y se escamotea tendiendo un puente de cordeles sobre la sima del abismo. No

74

existe el concepto ni la sensación de *madurez*. Se resbala por la treintena con cuidado de no babear para llegar a los sesenta y atornillar el culo a un puesto de trabajo. «La edad se lleva en el corazón» es la consigna en letras rosadas que titila en el visor del dron subalterno, que es perro viejo y mascula pensando en su propia carcasa: «Y unos cojones».

El dron chucho está sobre la pista de uno de los factores que condicionan el mal humor de la sujeta Sebastian. La seguridad de Cajita, la conservación de su cordura. También le ayudan a despenalizar el verso *«Limpia* es la palabra con la que no puede empezar ningún poema» porque ahora es un verso que se entiende y no provoca sospecha ni inquietud. Las sinapsis y meninges humanas no sufren un retorcimiento que pueda conducir al malestar, la cefalea o la epifanía. Se lo notifica al dron principal, que se ha quedado en la vivienda de Sebastian vigilando a la sujeta Cristina Romanescu, alias Tina, alias Cajita. El dron subalterno no entiende las razones de esta vigilancia infantil, pero no le va a dar muchas vueltas porque a él lo que ya le apetece es retirarse al hangar, tomarse una cerveza y un sándwich de pollo, darse un agua bajo los alerones. Desconectar. En la pantalla del dron subalterno aparece una imagen de Marlowe en *El largo adiós* (*The Long Goodbye*), Robert Altman, 1972. Elliott Gould en el papel de Marlowe y Nina van Pallandt en el de Eileen Wade, la mujer con los ojos color azul aciano. El dron se sumerge en el azul, en el malva, se le nubla la visión. Es un dron anticuado y melancólico al que antes le gustaba echar un vistazo a la prensa en papel mientras sorbía el primer café de la mañana.

Selva Sebastian tira la moneda por el sumidero. Y, como solo está capacitada para pensar mágicamente, cree que si un día falla ya no habrá esperanza para ella. Está se-· gura de que su padre, un aristócrata que abandonó a su madre porque se pasaba la vida emporrada, recogerá el ní- quel en un punto luminoso de la alcantarilla. Su madre fumaba incluso durante los embarazos y es posible que los males de Cajita, más allá de la extinción de la infancia res- pecto a la que Selva es escéptica, provengan de los hábitos de esa mamá que nunca se preocupó por el ácido fólico ni por escuchar a Mozart desde el instante inaugural de la gestación. Selva Sebastian ya no cree en las revoluciones –aunque sí en la lectura predictiva de la baraja española– y prefiere personalizar la culpa. «Zorra», dice Selva de su propia madre.

La hija, obviando la proliferación de flores violáceas, también relaciona las amnesias maternas con la escritura, que la volvió egoísta y ensimismada, y con el consumo in- discriminado de cannabis. Y Selva no puede perdonar esa desmemoria ni en lo referente a los cuidados de Cajita ni en lo que atañe al pedigrí paterno. «¿Quién es mi papá?», preguntaba Selva. Y la madre respondía: «No lo sé, no me acuerdo». Aunque, si se esforzaba un poco, algunas profe- siones le salían entre los labios como humo de calada: «Un cantautor sensible, un inmigrante de ébano, un profesor chiflado que hacía experimentos con burbujitas azules...». Otra calada: «Ese sería tu *papiblue*, nena». Su madre le de- cía estas cosas, y Selva entendía de nuevo por qué la había llamado Selva y no Inmaculada Concepción. «Quizá los tres tengan algo que ver contigo, querida.» Entonces Selva se restregaba los antebrazos con todos los limpiahogares generales que podía encontrar: «¡Esos no son mis padres! ¡Mi padre es Gatsby Sebastian y me regaló un triciclo!». La mujer madura no se alteraba: «No sé cómo puedes acordarte de cosas tan lejanas. Deberías usar esa excelente memoria para estudiar». Selva se mantenía impermeable a todo. Tóxicos fumables y tóxicos detergentes. Estambres violeta. La mala hostia era su escudo protector.

Otro misterio era la identidad del padre de Cajita. La pequeña había adoptado el apellido Romanescu en homenaje a la galáctica verdura. En realidad, este apellido, completamente verdadero porque la niña había sido reconocida por su padre, había forzado la fabulosa aproximación de Cajita a la col. Los rasgos de Cajita se acercaban cada vez más a los de la criatura que nació en el corazón de un repollo. Cajita, igual que su amnésica mamá, posiblemente idénticas a Amy Winehouse, adictas que rechazan las terapias y rehabilitaciones, amantes de la toxicidad, Cajita no era inmune a nada, *no*, *no*, *no*, y no tenía papi y, sin que una cosa estuviese relacionada con la otra, Selva más de una vez la había pillado dándole un chupito a la botella de anís.

Frígida casi imperceptible aura de calor

Tina hoy no ha hecho los deberes. El ordenador de mesa está roto. El dron ha comprobado que la máquina no emite señal. La niña Tina ha quebrantado su pauta de teleaprendizaje. El dron se bloquea. No tiene solución para este desajuste. Carece de recursos para proveer de infraestructuras digitales a teleaprendices, ya sean estos teleaprendices hembras o teleaprendices varones. Teleaprendices queer o teleaprendices en transición. Los semovientes. «Incorrecto, incorrecto.»

Cucú recupera una antigua grabación de Tina Cajita emitida en un noticiero televisivo para conmover durante diez minutos a todo Land in Blue (Rapsodia). La reportera mira a cámara. A su lado está Cajita con una bata que no es la que lleva hoy:

«Cristina Romanescu, Tina, estuvo confinada en un piso de cuarenta metros cuadrados. Sigue aquí. No quiere salir.»

La niña mira a la reportera pidiéndole permiso y dibuja con los dedos en el aire una cajita: «Hemos estado en este cuadradito».

La reportera, resistente profesional liberal en la edad madura, tuercebotas represaliada, ínclita tocapelotas, mujer que va al gimnasio para consumir cuanto antes sus pulsaciones y alcanzar la meta, acaricia el pelo de Tina con precaución para no separárselo del cráneo y continúa con su conexión periodística:

«Tina ha aprobado el curso gracias a un ordenador prestado. Su hermana la anima para que salga a divertirse, pero Tina no quiere.»

La niña se justifica: «Es peligroso». Redondea su argumento: «Me he vuelto un poco antisocial».

Cajita sonríe y la reportera, que no parece conforme con el discurso hegemónico, traga como si algo le hubiese hecho bola:

«Tina no es la criatura resiliente que esperaríamos: soportar una situación no es lo mismo que adaptarse a ella. Esta niña es una adulta precoz, consciente de los metros de su casa, de muertes y enfermedades, de que la máquina que le ha permitido superar el curso es prestada, de que se le han quitado las ganas de jugar. Otra infancia, sensible de otra manera, que no estuviese al borde de la extinción o la locura, desearía salir corriendo y dar saltos. Esta niña se nos atraviesa en el gañote como espina de pez y nos lleva a pensar si debemos escamotearles las verdades a las criaturas supervivientes. Vivir determinadas experiencias demasiado pronto nos envejece antes de tiempo...»

Cajita interrumpe:

«Yo quiero envejecer. Levantarme mañana y haber envejecido.»

La locutora no le hace caso y se reajusta el pinganillo en la oreja:

«Otro día podemos discutir si *envejecer* y *entristecerse* son palabras sinónimas. Generaciones de niñas medio muertas, forzosamente cautas y acongojadas. Esta niña no son todas las niñas –y decir "todas" es ya una hipérbole–, pero Tina existe y su incipiente depresión no se relaciona solo con su hipersensibilidad: tiene una raíz tangible que se puede cambiar haciendo política.»

El dron recibe el dato de que la reportera fue purgada. Totalmente purgada. No es solo un alma errante. Ya no es. Si pudiese sentir alivio, diría: «¡Gracias a Dios, Ingeniero, Programador, que dentro del garaje bebes latas de cerveza y vas colocando en tus pentagramas y registros unos y ceros, ceros y unos, que dividen el universo en partes desiguales. Por eso, yo puedo ser bueno y el mejor. Sobresaliente. ¡Gracias, Señor, gracias!». Que le den a Flor azul. Cucú está harto de contradicciones. Cucú quiere ser útil y feliz. El dron es un artefacto integrado que percibe el sesgo apocalíptico de las palabras de la reportera:

«Investigadores israelíes han computado casos de niños de siete años que se suicidan tirándose del tobogán con la cabeza por delante.»

Las imágenes de Tina y de la reportera se pixelan y desaparecen de la pantalla del dron, que, inmediatamente, se recompone.

No está programado para entrar en un bucle de desesperación.

La niña Cristina, alias Tina, alias Cajita, cierra todas las puertas. Mira por la mirilla. Se mueve, pegada a las paredes como si el espacio fuese mucho más pequeño de lo que es. Los sensores captan el desajuste. Aunque su casa es oscura, Tina no enciende las luces.

Desde su alero Cucú puede verla gracias a su frígida, casi imperceptible, aura de calor.

La mujer madura se definiría como masoquista neurótica

Graba Flor azul, alias Godard. Interior atardecer, casi noche. Se abre la puerta de la alcoba. La mujer madura ha pasado la tarde con este hombre a quien ya no podrá llamar amigo nunca más. Ellos son el hombre y la mujer que refundarán el mundo. Un mundo íntimo, mucho mejor que ese mundo malo del que la mujer hasta hace unas horas sentía nostalgia. En aquellos días malos, que eran tan exquisitos como un jamón ibérico, una delicia que condensaba dentro de sí el bien y el mal absolutos, porque para paladear el umami es preciso haber sacrificado un animal, un ventrílocuo, un cerdo colega, que tanto se parece desde un punto de vista genético a la especie humana, ella se preguntaba si era posible sentirse desgraciada sin que aún le hubiese ocurrido nada realmente terrible.

Porque a veces tenía una pena muy grande, y eso que era joven y sus hijas vivían en la casa y Tina aún no se había quedado encanijada y medio muda, y Selva no había entrado en su fase de adolescencia emperatriz. «Reclama su atención, señora», los provectos especialistas le proporcionaban a la mujer claves incomprensibles. Tampoco Pablo se había muerto ni las patinadoras rubias habían dejado de dibujar sus banderas cruzadas o sus muertes del cisne sobre las pistas de hielo reconvertidas en depósitos de cadáveres.

La mujer pregunta al hombre:

«¿Tú de verdad llegaste a pensar que sucedería algo así?»

Apoya la cabeza sobre la blanca mano del boyante vendedor de medicinas.

La mujer, ahora que el mundo se ha puesto difícil, raramente experimenta la desesperación, pero sí la tristeza. A veces es desgraciada, rutinariamente desgraciada, porque carece de sensibilidad para percibir el punto de inflexión de las catástrofes. Está medio dormida y piensa que aún no le ha sucedido nada malo y, en consecuencia, ignora lo que es bueno. El canto de los pájaros. Las puestas de sol que coinciden con el ascenso lunar. El tacto de la mano de un amigo entre un millón. Su lirón, que va desperezándosele entre las piernas. La mujer prefigura, neuróticamente, emociones tristes que quizá, cuando afloran a causa de orfandades, incendios domésticos, patologías dolorosísimas, cronometradas postrimerías planetarias, escuecen mucho más de lo que de antemano se habría podido imaginar. Todo es peor.

«¿Y si no es peor y estoy sufriendo porque me gusta sufrir?»

La mujer escruta la frente espejo del hombre y no encuentra, más allá del azogue, ni a Alicia ni a Humpty Dumpty ni a Do mi sol y Sol mi do. El hombre del terno oscuro le aprieta la mano compasivamente. Flor azul, que todo lo sabe y prefiere no verlo todo, comprende que el hombre le tiene lástima a la mujer madura.

Ella recupera la ternura en las yemas de sus dedos y sigue cavilando. Cuando lo peor llega, te tienes que levantar, aunque sea oyendo machaconamente los mensajes que Bibi graba en su cabina oscura: «Incorpora la tristeza a tu fuerza, incorpora tu fuerza a tu felicidad». La mujer em-

81

pieza a convencerse de que vivir lo malo genera una capa de luz. La mujer convoca entusiásticamente la vivencia de lo malo sin percatarse de que ya le han pasado unas cuantas cosas feas en la vida. Solo lo recuerda en ocasiones muy especiales. La mujer madura se definiría como una masoquista neurótica cuando, en realidad, tiene la textura de la piedra pómez.

«Lo malo nos trae una capa de luz.»

Ha dicho.

«O se te funden los vatios.»

Apostilla el hombre con el que la mujer va a inaugurar el mundo no sin ciertas discrepancias relativas a cómo nos recuperamos del dolor. La mujer desoye la eléctrica metáfora y se arrepiente de haber pronunciado una frase que podría colocarlos otra vez sobre una masa de hielo que no acaba de romperse: esa amnesia matutina respecto a la muerte de Pablito.

Después de haber dicho «O se te funden los vatios», él automáticamente se queda en pausa.

O en *stand by*.

Me.

La orden de expolis mendicantes y la banda funcionarial armada

Cada día Selva Sebastian arroja una moneda por la ranura de la alcantarilla para que su papi la oiga caer y se acuerde de ella en su mundo subterráneo de la torre de los siete jorobados, pináculos inversos y alfombras persas sobre las que fumar en narguile. Sí, el Subestrato es así, por lo que le han contado al dron subalterno Obsolescencia.

La joven Sebastian reserva otro níquel, de menor importe, para un uniformado que se sienta en la escalinata de Los rosales aromáticos. Pese a que la tarde se cierra progresivamente en noche, ahí está el uniformado. La chaqueta le pinga por todas partes. Es un uniformado que ha perdido peso, y huele a sobaco y orina. Un cerco oscuro le adorna la tela del pantalón a la altura de la ingle. Landinblú está infectada de antiguos policías supervivientes que no tienen donde caerse muertos. Unos cuantos han creado la orden de expolis mendicantes y se han reconvertido al evangelismo y la predicación. Piden limosna para seguir con su proyecto evangelizador. Los evangelios les han ayudado a dejar de beber, pero sobre todo les han dado labia para poder comer. Ocupan los templos. Duermen allí. No suelen disfrutar de calefacción central ni de agua corriente. Han quemado todas las biblias para avivar los fuegos.

Previamente, separándose de manera concienzuda de los estambres de las flores violetas, se han aprendido las biblias de memoria, y cuando alguien les da una moneda, como si la insertasen en una maquinita de velas automáticas para rogar por el alma o el bienestar corporal de alguna persona querida, ellos responden: «Bienaventurados los que lloran porque ellos recibirán consolación», «Jesucristo es el mismo ayer, y hoy, y por los siglos», «El Señor es mi pastor, nada me faltará». Hoy, después de que Selva introdujese su monedita en la ranura de la mano del exsargento pobre de la ex policía nacional Alain Rodrigues Alonso, el mendigo uniformado ha dicho: «No temáis, pequeño rebaño, porque es el placer de vuestro Padre daros el reino». Su papi siempre está con ella. Selva ha cabeceado con gratitud y el dron subalterno, para no aburrirse y justificar su salario, ha tomado una instantánea de la buena acción.

Algunos oficiales y algunos números, muy indignados por su pérdida de estatus y autoridad, por la amenaza de una precariedad sin paliativos, en el nuevo orden de Landinblú, no entregaron las armas al Ministerio del Interior cuando este decidió externalizar los servicios. Esos hombres rebeldes y también algunas virulentas exfuncionarias son hoy la mayor amenaza para la estabilidad de la urbe. Atentan contra los drones y asesinan a los miembros de los somatenes que les han robado el trabajo. Cada dos por tres aparecen con la garganta seccionada ancianitas de profesión sus labores, cabelleras caracolas tras el proceso de lavar y marcar; o maduros obreros de las plantas de reciclaje asfixiados entre la mierda de los cubos de basura. Estos expolicías violentísimos, situados en el extremo opuesto de la pacífica orden de los mendicantes, aunque algo más limpios, acribillan a balazos a los guachimanes. Se autodenominan la Banda Funcionarial Armada. La BFA. Al dron subalterno se le nubla el visor unos segundos: sufre un pequeño colapso eléctrico a causa del trauma. Los befeas le quemaron con ácido una de las patas que soportan las hélices. Casi no lo cuenta. El dron chucho exhibe más cicatrices. La de los befeas no es la única.

Otro de los objetivos de los befeas son los ancianos guardias jurados a quienes se reconoce bien porque sus empleadores, siempre sofisticados y kitsch, les obligan a ataviarse con casacas rojas atravesadas por charreteras doradas y discretísimos gorros altos de piel de oso, como los de los antiguos guardianes del palacio de Buckingham, que los convierten en blanco fácil.

Parece que últimamente los befeas andan escasos de munición, pero Tote, que cuenta con grandes amigos entre este grupo de díscolos e ilegales, le explica a su novia que la escasez es temporal. Sus colegas ya están en contacto con traficantes de armas que les van a pasar fuscos, pistolas y todo tipo de munición. Sin embargo, estos exfuncionarios enrabietados son minoría. La mayor parte se dedica a la mendicidad. El dron subalterno, pese a no ser un gran amante del trabajo y a escaquearse siempre que puede, intuye que de alguna manera tiene que justificar las horas dedicadas a la vigilancia de Sebastian y revisa un porcentaje: el setenta por ciento de los servidores y servidoras de las fuerzas de seguridad del Estado forma ahora parte de la orden de expolis mendicantes, frente al treinta por ciento que se ha integrado en la BFA. El porcentaje de befeas ha experimentado un incremento positivo en los últimos meses. «Alerta roja, alerta roja, peligro.» El dron subalterno quiere imprimir el dato para proceder a su archivo en su cajón de papeles analógicos, pero se ha quedado sin papel en el rollo de su máquina registradora de porcentajes. «Vaya por Dios», exclamaría un expoli mendicante de los que van sobreviviendo gracias a la buena voluntad de personas como Selva Sebastian, que prácticamente cada día reserva una moneda para su expoli pobre. Los antiguos antidisturbios, sentados en el suelo en posición de flor de loto, se colocan los cascos entre las piernas y ahí van acumulando moneditas que les arrojan por caridad los ciudadanos de Landinblú. «Arrojar por caridad» es una expresión que lastima los circuitos de Obsolescencia. Existe un pacto tácito de no agresión entre befeas y mendicantes, pero los primeros desprecian a los segundos, y a los segundos, pese a su actual actitud de poner la otra mejilla, se les están empezando a hinchar las pelotas. El dron subalterno percibe cierta tensión. De cuatro en la escala Richter.

El dron subalterno se rasca la oreja y una pulga sale despedida contra el asfalto. Al dron subalterno, ahora, le llega un poco más de aceite a la cabeza. Chirría y elabora un pensamiento que entra en contradicción con sus funciones: Selva Sebastian es una buena chica. Trabajadora. Fértil. Omnívora. Falócrata. El dron chucho intuye que la chica corre peligro. Todo el mundo lo corre. Selva Sebastian hace un estiramiento antes de entrar al trabajo. Un, dos, tres, retracción de la pelvis, tres, dos, uno, pelvis fuera. Selva Sebastian y su coreografía eléctrica. Obsolescencia no entiende el seguimiento y, por primera vez, después de una carrera gris, un tanto perezosa, pero sin incidencias ni desacatos, siente ganas de desobedecer. Sacar los dientes. Marcharse por la puerta grande. Morder a su adiestrador. Rebelarse contra el ingeniero jefe que ahora mismo en el centro del desguace de chatarra abre una lata de judías y se las come, como un gocho, a grandes cucharadas. Lleva una camiseta interior de algodón adornada con grasientos lamparones. Quisiera ser Marlon Brando, pero no le da el cuerpo. Ha prohibido en Landinblú la lectura de los libros de Bradbury y el visionado de *Blade Runner*. Por si se repite y alguien, pese a la dificultad de rescatar los recuerdos de entre las brumas violáceas, le acusa de plagio. Obsolescencia y sus pulgas tienen cada vez más ganas de retorcerle el pescuezo. El ingeniero jefe no es más que el censor de un súcubo equipo de guionistas.

Landinblú es un mundo lleno de excepciones que encubren su frígida perfección. El ingeniero jefe declara que se arrepiente muchísimo de haber vacunado a sus peluches y a los exfuncionarios policiales. Pero por los mentideros corren rumores de que el ingeniero jefe subvenciona en secreto a los befeas. Como agentes del terror y fuerza paramilitar. Se oyen cierres de persianas metálicas que caen de golpe. Es el futuro. Pero al ingeniero jefe nunca se le dieron bien las listas de los reyes godos ni el aprendizaje de la historia. La inmunización de los befeas lo es solo en parte, pero el ingeniero no va a hacer, por ahora, más declaraciones y el dron chucho, aunque sabe cosas, hoy no quiere tirar más del hilo ni de la lengua. En todo caso, el ingeniero jefe, padre fundador y amigo de las niñas, quizá no se arrepiente tanto de la inmunización de los befeas.

Quizá no.

Los estambres de las letárgicas flores violeta

Aunque ya no recuerda muy bien dónde lo ha encontrado, la mujer sigue explicándole a su amor las ideas que no acierta a formular, hilar, con exactitud. Él es un hombre paciente que ya repartió sus medicamentos y disfruta escuchando el *Concierto para oboe en do mayor*, K. 314, de Wolfgang Amadeus Mozart. Él es un hombre muy Mozart, tal vez procedente de una familia melómana, que se complace entre las polvorientas estanterías de la calle Rey Melchor, recostado en los cojines orientales de la cama turca de la mujer que olvida. El hombre presta especial atención al sonido que emiten las clavijas y válvulas al ser pulsadas por la oboísta. La mujer madura, al comprobar cómo su amante se deleita con la música, siente una punzada de celos y decide que le va a curar del esnobismo melómano. Se arrepiente: los sentimientos del hombre no son ni elitistas ni cursis, son pura sensualidad. Estambres. Al fin y al cabo, ella también es un ser de otro tiempo y comparte con su atildado amor que tal vez las cosas malas no sean la enfermedad ni la muerte ni la revolución copernicana ni el cambio en la costumbre:

«Las tragaperras en las esquinas...»

Quizá lo malo sea la lenta turbiedad con la que se suceden las horas. Esta relativa placidez. O la bomba de neutrones.

87

«Puede...»

Rumia el hombre de las medicinas siempre lacónico. Y se mete una pastilla de menta en la boca. O un ansiolítico.

La mujer quiere pensar que la ausencia, el perdido amor de Pablo, los ha unido, pero lo cierto es que ella siempre fue inconstante.

Flor azul está a punto de intervenir rebobinando las ideas autodestructivas y políticamente incorrectas de la mujer. Para que nadie tenga acceso por culpa de las *cookies*. Para que nadie se entere. Querría dar un corte en la bobina mental de la culpa. Pero, entonces, se perdería toda esperanza. Se trata de conservar un pequeño margen de triste autonomía. Flor azul se limita a utilizar un distorsionador para que la identidad de la mujer que monologa sea casi irreconocible:

«Mi imaginación durante un tiempo pudo fluir libremente. No pesaba sobre ella la carga de ningún trauma.»

Flor azul archiva la metaliteraria vibración en el apartado de escrituras europeas. La mujer prosigue:

«Ahora todas mis narraciones quedan lastradas por varias fronteras. Siempre escribo y, por tanto, siempre recuerdo desde el instante posterior al accidente de tráfico. Desde el duelo. Mi fantasía no puede desatarse. La atan dolor, pánico, incertidumbre...»

Flor azul entiende que el accidente de tráfico es una metáfora y que la mujer se expresa en sentido figurado. Desdibuja la silueta del hombre para preservar la intimidad de toda esta confesión. Luego argüirá en la central que ha sufrido una avería. La mujer madura, como maduro tulipán en un jarrón, tal vez intuyendo la protección de Flor azul, se abre completamente:

«No sé qué estamos viviendo. Disfruté de un pasado muy feliz antes de iniciar una vida en familia. Nunca me ingresaron en un hospital. No me pusieron anestesias para cortarme la carne. Disfruté de las cien noches. Hoy me anclo a sentimientos adolescentes. Quizá este sea el descubrimiento más triste de una mujer que va envejeciendo sin crecer. Cuando pienso en mis hijas, me digo que yo soy la enana. La irresponsable. A mí no me han quitado a mis hijas. Ellas se han ido por voluntad propia. Yo no las retuve.»

El hombre admira a la mujer que acaba de abrirle su corazón. A él también le gustaría que su hermano regresara y daría lo que fuera por hacerlo volver, pero en su maletín no ha encontrado la pata de mono ni panaceas para devolverle el aliento a un difunto. La mujer, sin saber cómo, le ha leído el pensamiento y se asusta:

«No pienses eso. No lo digas.»

Le ha leído la mente, aunque ya ha olvidado dónde encontró a su último amor. Puede que la estuviese esperando junto a las flores violeta del parque: sus estambres despiden un polen que emborrona la memoria y embriaga como néctar...

La mujer madura ha olvidado a este hombre, pero aún puede acordarse de Pablo y evalúa la posibilidad de que Pablo viva con Tina, con Selva y con la colección de zapatillas de deporte, cosidas por los artríticos dedos de las costureras, que le fue comprando a su hija mayor. «¿Y por qué haría Pablo una maldad así?» Pablo nunca haría eso. Además, Pablo, tan muerto y tan dulce, no soportaría vivir con Selva. La mujer madura no la reprendió cuando la chica le dijo que dejaba de estudiar. «¿Para qué?», preguntó, y la mujer no supo qué contestarle. Tampoco cuando se fue de casa. Ni cuando se llevó a Tina y cerró la puerta: «No eres más que una puta y una pobre mujer».

Si Flor azul pudiese materializarse en cuerpo humano, su réplica antropomórfica sería de la etnia aimara. Cucú sería canadiense por no ser claramente suizo y Obsolescencia es sin lugar a duda un desencantado yanqui. O un bonaerense. O un barcelonés de los años setenta del pasado siglo. Flor azul llevaría un poncho para protegerse de las bajas temperaturas, habría nacido un 9 de julio bajo el signo lunar, femenino, doméstico y protector, de cáncer, y su voz sonaría como la de Mercedes Sosa cuando canta y la música le sale del centro de la raíz que la tucumana guardaba dentro del ombligo. Con esa voz, Flor azul constataría que, más allá de la relajación de costumbres de la mujer madura, el ingeniero jefe se las ha apañado bien para diseñar una metrópolis donde las mujeres odian a otras mujeres, las madres se sienten desautorizadas por sus hijas y las hijas desean patear las bocas de sus madres cargándolas con obligaciones que las reducen al delantal con que cocinan pasteles de ruibarbo, aunque nadie sepa lo que son los pasteles de ruibarbo más allá de ciertos concretos límites de las tierras galaicas y de un poderoso país del hemisferio norte. Aunque ahora ya no haya hemisferios. Se los recuerda en los volúmenes de geografía antigua y clásica.

El ingeniero jefe, en la profundidad de su garaje, ha inoculado en el ácido desoxirribonucleico de cada jovencita –cognitivamente blanda o resistente como piel de elefante– una idea de madre que coincide con la mismísima madre del ingeniero: una sonriente gordezuela que manipula con virtuosismo la temperatura del horno para cocinar distintos alimentos, porque no es lo mismo un pavo que un pastel de carne o unas galletas con caritas, y se conoce de pe a pa las técnicas de primeros auxilios para desinfectar raspones o devolver el aliento a un chaval que cayó al río mientras estaba de pesca y tragó demasiada agua. Las madres conservan antiguos álbumes de fotos y siempre se compadecen del dolor de sus retoñas abandonadas con los vestidos largos que ellas mismas les cosieron para su fiesta de graduación. No discuten las decisiones de sus retoños varones. Sus nueras les dan un poco de pelusa. Pero es por el amor. La madre del ingeniero jefe, programador *cum laude*, autolaureado hombrecillo de ojos violeta, la madre del cordero y del ingeniero jefe —por tanto, las madres todas— exuda una bondad natural y se quita la comida de la boca para alimentar a sus polluelos, y pasa noches sin pegar ojo para colocar paños húmedos sobre la frente febril de su descendencia. A esas madres les gusta la televisión y no fuman. Y mantienen repulidos, como si fuera el primer día, los quemadores de su cocina clásica. En la casa de una buena madre huele a fresa y la *libido* es una palabra que pertenece al campo semántico de la apicultura y el alimento de la abeja. El melero. La madre del programador no sabe hacer empanadillas de atún y, por tanto, las empanadillas de atún han desaparecido de los recetarios de las buenas mujeres de Land in Blue (Rapsodia).

Luego están las furcias que se operan las tetas y optan al título de Miss Universo para que el ingeniero jefe se fije en ellas y en sus tetas, se las folle y, a las más extraordinariamente plastificadas, las insemine. Quedan muy pocas, y este es el motivo por el que el ingeniero jefe se plantea la autoclonación. A veces insemina a las mujeres recauchutadas que pueden retomar el camino recto y llegar a ser una buena madre como la suya, que plancha camisas que el ingeniero jefe nunca va a ponerse mientras él se pasa horas encerrado en el garaje delante de la pantalla de su ordenador mordisqueando muslos de pollo frito y sorbiendo refrescos de cola.

«Qué jodida *nightmare*», exclama Flor azul, una aimara políglota que ahora mismo corta y cambia para corroborar que Selva no necesitaba grandes motivos centrados en la sexualidad, épica y movediza, de su madre para odiarla con toda la fuerza de su corazón inmune a la empatía. No importaba la crianza ni el sentido del humor ni las bombonas de gas para la catalítica ni las recomendaciones literarias ni los limpiahogares generales contra las infecciones ni la libertad de horarios ni la alegría de la casa en una ciudad cercada por muertes y viejas plañideras, derrumbamientos, ni las músicas del mundo en el salón ni los hombres graciosos y las amigas corrosivas ni lo bien que le salía la musaka ni el buen gusto para vestir ni que la mujer madura nunca hubiese sido una metijona que se pasa el día entero entrometiéndose en asuntos que no le conciernen. No importaban sus ojos aguados cada vez que se quedaba mirando a sus chimichurris.

«Furcia» era la única palabra que Selva Sebastian guardaba para su madre.

La mujer nunca le había negado nada a Selva. Vivía y dejaba vivir, que es consigna estúpida donde las haya si atendemos al pensamiento de Flor azul. Cavilaba su protegida:

«Mis hijas son más viejas y muchísimo más pobres que yo.»

La mujer ya no llora nunca, así que no está a punto de echarse a llorar.

«A veces una tiene las manos atadas.»

Repite una de sus ideas fijas, de sus preocupaciones:

«El mundo ya nunca volverá a ser como fue.»

Contempla al hombre desnudo, que mueve sorprendentemente los labios para articular estas palabras:

«La gente melancólica no puede educar a la juventud.»

Ella lo mira con asombro. Se repite varias veces la frase. La usará en los microdiscursos que escribe para ese viceministro de nada que, gracias al trabajo de la mujer madura, se está ganado una fama de persona sensible. La mujer utiliza la empatía y la llave maestra de aprender a disculpar los errores. Todo el mundo los comete. Todo el mundo se deja abierta la espita del gas. Del gas, del gas. Todo el mundo se olvida de recoger a su hija del colegio.

«¿Colegio?»

Pregunta el hombre de las medicinas, que entiende que la mujer está recordando otro tiempo, otro lugar, la propia vida que no volverá a ser. Ella se regodea en su propia necesidad de olvido, en su tibio adormecimiento amniótico. Sin embargo, «la gente melancólica no puede educar a la juventud...». No lo olvidará.

«Tampoco las mujeres nostálgicas...»

El hombre la acaricia. El hombre es guapo, pero su piel es lechosa y su cuerpo tiende a la morbidez.

Suena el teléfono:

«Disculpa, he de atender a Bibi.»

El hombre se recuesta y escucha parte de la conversación telefónica:

«No, se ha equivocado, Iluminada Kinski no vive aquí.»

Jesusita

Todo Land in Blue se paraliza cuando comienza la serie del momento. Sintonizada a través de cada dispositivo móvil e inmóvil, la comunidad reconoce la sintonía y se concentra en la imagen de la mosca que revolotea. El plano pasa a un ocelo del ojo y, dentro del ocelo, se dibuja el perfil de una escritora a la que le va a apareciendo una palabra bajo la piel de su frente. El título «Jesusita» se amplía mientras se oye esta frase en off (voz femenina): «La infancia pudiente elige sus juguetes por catálogo, la juventud consigue puestos temporales en las grandes superficies, y los viejos y viejas no van a Albacete, sino que echan ya de menos un pasado gerontocrático...».

Antes de acabar la frase, la frente de la escritora ha desaparecido y entramos en un salón, decorado para las fiestas navideñas. Unas niñas, en torno a los nueve años, disponen las figuritas del belén. Hablan como mujeres mayores de otros tiempos. Como madres resabiadas. La madre está colocando una bola en el árbol de Navidad y una niña se le acerca: «Anda, quita, que no sabes. Se hace así, ¿ves?». La bola queda peor, a punto de descolgarse, caer y romperse contra el suelo, pero la madre se retira del árbol y se sienta dócilmente a ver la televisión con su marido. Epi y Blas dialogan a propósito de las migas de galleta entre las sábanas limpias. Las impúberes, Cayetana y Daniela, dejan el belén y pasan a la cocina donde se ponen a «preparar» el banquete de Nochebuena –mayonesa cortada, cordero crudo, palitos dulces de cangrejo, turrón del año anterior– mientras hablan de su estrés, de los ansiolíticos que deben tomarse, del agobio de las actividades extraescolares, de cómo se esferifica una patata, de su profesora de pilates, de que el año que viene se van a poner tetas, de que el hermano de Cayetana se va a presentar a Míster Salamanca Baby y de que Daniela se va a postular para *La Voz Kids*; cuenta los pasos de baile, y ocho, nueve, diez, e interpreta la canción frente a la Thermomix porque lleva micro y puede que cámara también... Las nenas se duelen de los disgustos que les dan progenitores y otros ascendentes («¡Menos mal que tengo un *coach* que me ha enseñado a ver la botella medio llena!»). Abuelos y abuelas las tienen locas porque, cuando vuelven de sus trabajos esenciales –reponedores, jornaleros, costureritas, cajeras del súper con dificultades para controlar el escáner y calcular los descuentos–, no saben usar los pepinosmartphones y no dejan de darles la tabarra. De hecho, mientras ellas pelan chapuceramente un huevo duro para la ensaladilla ácida, un yayo entra y pregunta algo sobre el significado de los emoticonos: «Oye, nena, ¿y si mando el amarillo qué significa?». «¡Mil veces te lo he dicho! ¡Harta, es que me tienes harta!» Mientras, los padres siguen viendo la televisión y sonríen lelamente. Las niñas interrumpen: «¿Todavía no habéis puesto la mesa?», «Pero quita eso, por favor, venga vamos a ver el discurso del rey...». La madre se revuelve: «¡Oye, guapa!». Y una niña responde: «Pero ¿qué me vas a enseñar a mí que yo no sepa? Anda, tira, que no sabes ni descargarte una aplicación. Vete a colocar las figuritas del belén, a ver si se han descolocado. No vaya a ser que el niño Jesús se ponga triste». La madre se levanta y, cuando se acerca al belén, las figuritas huyen, se esconden entre las rocas y los matorrales, permanecen agazapadas para que las niñas no las encuentren... Suena la versión punk de «Campana sobre campana» mientras la cámara se aleja mostrando un plano cenital del desolado belén y funde a negro dentro del ojo de una mosca que revolotea por la casa y, desde el ojo, volvemos al punto de partida: la habitación de la escritora, que coge su espray insecticida y, paf, mata al insecto... Parte meteorológico: «Hoy no llueve y mañana tampoco lloverá». Sonríe el ventrílocuo del tiempo.

Selva Sebastian ha visto la serie en el vestuario por cortesía diferida de su dron, angelito de la guardia y de la guarda, Obsolescencia. La mujer madura se ha quedado pensativa y un poco más desnortada que de costumbre. Flor azul se ha visto obligada a mandarle una pequeña descarga eléctrica que la ha puesto en semimovimiento otra vez.

«Y tú, ¿de dónde has salido?»

El hombre se desconcierta. Teme que su amante le tenga miedo. La mano de Flor azul se afrancesa hasta el extremo de haber elegido la palabra *amante* para aludir a la mujer madura. Flor azul retira los filtros de color para no caer en un intervencionismo exagerado. Pero está encantada con su manera de estampar la historia en el pergamino. Lo incrusta después en sus rollos metálicos. Lo archiva.

La mujer dice con tono inaugural:

«¿Sabes? Estoy firmemente convencida de que la gente melancólica no puede educar a la juventud...»

El hombre busca su maletín para dar con un recuperador inyectable de la memoria a corto y medio plazo. Tantea para encontrar el antídoto contra los estambres de las letárgicas flores violeta que están causando estragos entre la población de mediana edad y los usuarios de parques y jardines. Sin embargo, las flores proliferan día a día. Están por todas partes y el personal voluntario de jardinería las riega y fertiliza. A veces se las fuma. Aniquila sus plagas protegido por sus máscaras antigás. Al lado, en las plantaciones y los secaderos de tabaco, las viejas trabajadoras procesan las hojas nicotínicas y no han de esmerarse mucho para que sean seductoramente venenosas: la atmósfera de Land in Blue las empapa, sin necesidad de potajes de alquitrán y cianuro, con una enorme cantidad de agentes tóxicos.

La mano del hombre palpa un frasquito de gotas para los oídos. Lo saca del maletín. Ella asiente:

«Tina me ponía estas gotitas.»

Cierra los ojos como regresando a un lugar muy agradable. Abre los párpados:

«No me importa quién seas.»

La mujer no teme:

«No hace falta que uses eso.»

El hombre guarda las gotas. La mujer parece sentirse a gusto:

«No sé quién eres, pero te conozco.»

El hombre del terno oscuro, el vendedor de medicinas, se apoya en un recodo del cerebro de la mujer madura. Se esconde tras una puerta que se entreabrió pero que se ha vuelto a cerrar. Quizá sea una bendición olvidar a los amantes: renovar su identidad a cada rato como si fueran otro hombre que, en realidad, siempre es el mismo. Aunque esas amnesias eróticas no son siempre renovaciones ni consagraciones de una primavera indeleble: algunos matrimonios conviven treinta, cuarenta años, celebran sus bodas de oro y diamante –o de platino, según el lugar de procedencia, anota siempre diligente Flor azul–, para descubrir de pronto que no conservan recuerdos en común. Que no existe una puerta que se abra hacia una evocación conjunta. Que todo lo que tienen que contarse sucedió antes de que se conocieran. Parece que los recuerdos solo fuesen infantiles, intrauterinos, la memoria de la música en la bolsa fetal y la tibieza del líquido amniótico, veo cómo se van formando los cinco dedos de mi mano y mi mano toda frente a mí, recuerdos intracraneales. Como si los recuerdos no estuvieran aquí mismo, solidificados, dándonos la espalda o pisándonos la cabeza, alentándonos, galvanizados en cada partícula de aire y de luz.

La ausencia de recuerdos comunes implica que, en la cabeza del esposo, en la cabeza de la esposa, se ha borrado minuciosa, significativamente, con una cuchilla de raspar la tinta sobrante en la perfecta lámina de dibujo, la figura de la persona con la que has compartido tu vida. De aquella bacanal, él rememora su borrachera y sus disipaciones, pero no logra verla a ella, más guapa que nunca, con aquel vestido blanco y una guirnalda de jazmines. En el funeral de su padre, ella no logra revivir el momento en que él le cogió fuerte la mano para consolarla, pero sí puede acordarse de cómo un desconocido se acercó para decirle: «Siempre fuiste para él la mejor hija». Cada cual, desesperadamente, trata de recuperar ese segundo en que estuvo a solas, la heroicidad, el primer plano descomunal de la pantalla del cinematógrafo, aunque toda la vida consista en recoger leña menuda para paliar el frío de una soledad terminal e inevitable. Querer ser a solas y, a la vez, tener la necesidad de que nos miren. No se trata de que cada individuo reconstruya el pasado con los filtros y velos de su mente estropeada, particular, insensible o hiperestésica. El hombre del terno no evoca los días del pasado del mismo modo que la mujer madura. Las cortinas que podrían ser azules o moradas. El olor a vainilla o a leche. No, no es eso. Esas discusiones son una vulgaridad y ahora se resuelven apelando al documento gráfico o al archivo sonoro encerrado en los pepinomóviles. Porque el azul era azul y el morado, morado. El hombre se refiere —Flor azul lo sabe— a sujetos machos, hembras o en transición, sin patologías ni necesidad de tratamiento, que borran con su minuciosa cuchilla a sus amantes. Los individuos con los que se aparean y comparten un espacio. Como un pie o el bostezo de antes de dormir.

Desapareces. Siempre has estado sola. Solo. En esos silencios que se suelen vender, en las novelas románticas que declama Bibi, como la perla de la complicidad.

Ella fuma.

«¿Quién eres tú?»

Como la oruga de Alicia, la mujer echa el humo a la cara de un hombre que ni parpadea porque su carcasa es impasible. Las carcasas impasibles atenúan el peso de la herencia y el aire de familia. El modo de guiñar los ojos al reír podría avivar el recuerdo de otra persona y desvelar un vínculo.

«Me gustas mucho.»

Dice ella.

Flor azul toma nota de esa impasibilidad que no se corresponde ni con los pensamientos ni con los latidos del corazón del vendedor de medicinas. La mujer fuma. Engancha un cigarrillo con otro:

«Creo que alguna vez dijeron que fumar era perjudicial para la salud.»

Él tose y ella ríe:

«¿A quién le importa?»

La habitación se llena de humo. Los contornos se desdibujan agradablemente.

«Si quieres, puedes ponerme las gotitas.»

El hombre abre la ventana y los objetos vuelven a perfilarse.

«Tina me las ponía.»

La mujer madura no calla, sonríe:

«¿Tú la conoces?»

Él asiente. Los amantes se tienden en la cama y todo vuelve a empezar.

Hay mucha familiaridad entre los amantes y Flor azul la aprovecha en el proceso de recuperación de su protegida. Esa familiaridad dibuja en el visor de Flor azul un vínculo y un árbol genealógico. El retrato de Tina Romanescu. Su pelito ralo y sus batas de boatiné. Flor azul conoce la identidad del hombre del terno oscuro y le parece un excipiente fabuloso para la sanación. Un cuerno molido de rinoceronte. El hombre de las medicinas colabora con ella y es una pieza importante en el tratamiento experimental para devolverle la salud a la mujer madura.

Además, la flor se deja llevar por un exceso de romanticismo y afición al cine francés que se remonta a los días en que empezó a repelerle el ingeniero blanco que, ahora, abre otra lata de cerveza, enciende la barbacoa con una pastilla de petróleo, un falso fuego que desdice los orígenes de la humanidad en las cavernas y entre las pieles de los bisontes. El ingeniero deposita sobre la rejilla las hamburguesas y los T-Bones que tanto le gustan. Flor azul se empeña en contradecir al ingeniero y su amor por Jackie Chan. El ingeniero jefe no es un escritor, pese a su creatividad económica. Puede que, como mucho, sea un narrador de novelas fabricadas con pulpa áspera de papel como esas que aún hacen palpitar el corazón de Flor azul. Jeanne Moreau, Jean Seberg, Anna Karina, Françoise Dorléac forman parte de las bellas imágenes que parasitan y degradan el rigor hortera del algoritmo medular de Flor azul. Ella pasa cada día por el túnel de lavado para quitarse la grasa de su programador. A veces lo consigue.

Flor recoge su lanzamisiles y su clítoris extensible. Observa a los amantes con la cabeza ladeada de las gatas que no entienden. El hombre y la mujer madura se reconocen en la caricia de la yema de sus dedos. Van descifrando las sienes, dibujando arco ciliar y surco nasolabial, buscando hueso y calavera. Gozan cada vez que reconocen una letra, una posibilidad perdida. Ahora la están recuperando.

Flor azul baja las luces.

Se retira.

Gatsby Sebastian es el séptimo jorobado

Gatsby Sebastian recoge cada tarde el óbolo tintineante que le lanza Selva por la rendija del sumidero. Saca brillo a la moneda con el vaho azulado de su espiración. La frota bien contra la cadera de su pantaca de lino y, cuando resplandece, va directo al limpiabotas, que le deja como dos espejitos negros las punteras de sus escarpines. Gatsby le entrega la moneda al mejor boleador octogenario del Subestrato y, si no lo encuentra para culminar su higiénico ritual, sale disparado hacia la fuente de los deseos y arroja al agua el níquel que suele depositarse junto al surtidor, en la parte menos transitada por los peces de colores. «La monedita es la manera de recordarme que existe. La nena. Cojo la monedita. Me la gasto. No cuesta nada hacerla feliz.» El casco protector del pensamiento de Gatsby tiene una mínima fisura por la que Obsolescencia se ha colado. El dron puede realizar un seguimiento externo e interno del sujeto. Al dron estas horas no se las va a pagar nadie. Lo hace por gusto.

Gatsby, perfectamente maquillado, con las cejas delineadas que distinguen a los mejores futbolistas de los futbolistas mediocres y a los inteligentes maestros de ceremonias en los cabarés de Berlín de esos otros maestros de ceremonias de los cruceros con pulsera gratis para las bebidas, recorre los laberintos subterráneos de Land in Blue (Rapsodia), que es más rapsodia que nunca, saltando con pasos de baile aprendidos de Fred Astaire. No tiene una Ginger con quien dejar detenidas en el aire las figuras para cerrarlas como quien cierra la barriga de una a, así que Gatsby se aprieta el vientre con la mano derecha y separa su brazo izquierdo del tronco. Lo extiende en el aire y las yemas de los dedos de una mano invisible se prenden a las yemas de sus dedos –alguien le enseñó a sentir las yemas de sus dedos hace ya muchos lustros–: en el hueco que queda entre su extremidad y su tronco cabría una danzarina fantasmagórica que se deja llevar porque es aire y no existe. «Mina...», evoca Gatsby, que, como todos los habitantes del Subestrato, protegidos de las letárgicas flores violeta, conserva intacta la secuencia temporal de su memoria: largo, medio, corto plazo. Los espeleológicos jardines de Land in Blue, y no la tonalidad azufrosa de sus cielos exteriores, son los que dan nombre al mundo, el país y la metrópolis: en su corazón de alcachofa refulgen los parterres de hortensias, dalias e hibiscos azules, flores secas teñidas de azul Klein, aciano y achicoria azul, azuladas campanillas... «Mina...», susurra Gatsby. Mina, con su autismo rebelde y su dulce resistencia. A Mina no le gustaban los negocios de Gatsby y eso era irritante...

Para Fred Astaire bailar con Ginger también supuso un castigo. Ginger no se dejaba gobernar. «Mina me sonreía y hacía lo que le daba la gana...» Dicen que Fred prefería mil veces a la exótica Rita Cansino, a la joven Leslie Caron, a la que fue diosa olímpica de la danza por encima de todas las diosas olímpicas de la danza hollywoodiense, oh, oh, la pierna levantada, oh, la carrera, el contoneo, oh Cyd Charisse enfundada en su minivestido charlestón de lentejuelas verdes. Cyd Charisse vuela y aterriza en los fornidos brazos de Gene Kelly. Selva Sebastian ha heredado de su papi, el papiblue que alguna vez se escapó de entre los labios de la mujer madura, el gusto por la danza y, tras visionar «Jesusita», en el vestuario de Los rosales aromáticos, mueve la pierna, mueve el pie, mueve la tibia y el peroné, mueve la cintura, mueve el esternón, mueve la cadera siempre que tiene ocasión. Selva sigue el ritmo de una melódica de juguete: «Dame, papito, puchito, churrito, dame suavito, papito». Como si follar con un hombre siempre fuera un acto incestuoso. Obsolescencia tacha ese último pensamiento de su cabeza. Son demasiados años trabajando con Flor azul, de quien siempre ha sospechado que era una feminista lesbiana. Y una terrorista.

En cuanto Selva arroja su moneda, ficha en la recepción de Los rosales aromáticos. Luego entra en el vestuario y se cambia mientras disfruta del microcapítulo de la serie de moda, a través de su pepinomóvil, por cortesía diferida de Obsolescencia, que en ese momento ha plegado su carrocería para colarse por una boca de registro.

El dron rutinario se transforma en el romántico guardaespaldas de Selva Sebastian, émula de Jessica Chastain, Gena Rowlands y Gloria Grahame. El dron chucho es, como corresponde a los perrillos, el detective protector que, trabajando gratis y sin reconocerlo jamás abiertamente, en el ocaso de su chatarrera existencia de *fast food*, se enamorisca de un ideal: la joven mujer con carácter que se cree fuerte, incluso peligrosa, y tiene un plan. Un plan coreográfico. Pero no es más que carne de cañón. Obsolescencia cerrará su currículum con gloria. Va a redactar un informe que corrobore las hipótesis de su protegida respecto a la paternidad de Gatsby Sebastian. El informe de Obsolescencia y una sencilla prueba de ADN realizada en la farmacia con dos gotitas de saliva abrirán a Selva las puertas del Subestrato como habitante vip. Quizá la nombren marquesa, condesa, archiduquesa del Amazonas y ministra de la sana juventud. Quizá le compre a Obsolescencia un collar de zafiros o lo reconvierta en un Ferrari en el que asentar las musculadas cachas de su culo. Sueños de un seductor perdedor seductor. A Obsolescencia se le ha atascado la filmoteca.

Los exfuncionarios evangélicos, en agradecimiento por los óbolos limosneros de Selva, le pasaron las primeras informaciones sobre su padre; sobre la infinita paciencia que tuvo con la mujer madura y sus costumbres relajadas;

sobre ese carácter emprendedor que le ha llevado a disfrutar de todos los privilegios de la *business class* de Land in Blue (Rapsodia). Selva, hija de un hombre hecho a sí mismo y no de un aristócrata como sospechó durante su adolescencia miope, confirmó sus hipótesis y las borrosas imágenes de sus recuerdos fueron concretándose en formas reconocibles: «Mi triciclo».

Hoy al chandleriano dron sí le importaría perder. Hoy no va a hacerle demasiado caso a sus reticencias respecto a esos momentos en los que se siente feliz y sabe que no debe serlo del todo porque su felicidad forma parte de la programación de un ingeniero que no es santo de su devoción. «¿Por qué hace que me crea feliz este hijo de puta? ¿En qué me estoy equivocando?» Hoy Obsolescencia se quita las preguntas capciosas de encima como perro que se sacude el agua de la pelambrera. Goza con su diseño de dron detectivesco incapaz de superar el estereotipo. Goza con la sincera simpatía que le ha suscitado el decidido carácter de la danzarina apisonadora Selva Sebastian.

Infiltrado en el Subestrato, el dron realiza un discreto seguimiento de los pasos bailarines de Gatsby. Amortigua su zumbido y se mueve entre las sombras de los callejones alfombrados de la ciudad. Las antiguas alcantarillas han sido reconvertidas en canales para góndolas y en lagos con palafitos sobre los que orquestas de ciudad de vacaciones interpretan antiguas melodías italianas. La desratización llevada a cabo por los viejos controladores de plagas recibió el reconocimiento del ingeniero jefe. Les dio un diploma. En otros sectores del Subestrato, la tierra ha sido horadada en pisos plataforma, como un rascacielos hueco e invertido, en caída ascendente. Sobre las paredes del hoyo trepan y cuelgan jardines y ascensores que traman un sistema arterial y venoso para la circulación de retorno. En grietas, voluntariamente no reparadas, brillan puntas de cuarzo y amatista. Cúpulas aéreas, suspendidas en nervaduras invisibles, arcos de crucería, ojivas, sonrientes gárgolas.

Obsolescencia procura que ni su cuerpo marco ni sus extremidades hélice se enganchen a los cristales de las lámparas de araña que alumbran la subterránea metrópolis. Arcos polilobulados marcan la entrada de cada residencia. Las plazoletas huelen a ambientador de lavanda, ozono-pino y Nenuco cuyas emanaciones se pautan en tres tiempos. Como no hay ni una jardinera ni un matorral de flores violeta, el prostático dron chucho contiene la orina y se resiente por no poder marcar a gusto el territorio. Quizá pueda echar una meada junto a uno de los palafitos musicales.

Obsolescencia está deslumbrado: no ha visto una cosa más bonita desde que el ingeniero jefe le regaló un salvapantallas de Las Vegas como premio por los servicios prestados durante cinco lustros. En su cuadro de mandos, en la pulgosa barrita neurálgica del dron chucho, hay palancas que jamás se han movido: por ejemplo, las que despliegan nombres y definiciones de sistemas filosóficos, movimientos culturales y bibliografías que de ninguna manera piensa incorporar a su manera de mirar las cosas, que son como son y punto. Obsolescencia no abre las entradas *Postmodernism, Learning from Las Vegas* o Baudrillard. Sin embargo, sí que desplegaría los tebeos de Flash Gordon con sus ciudades de hielo, sus arbóreas ciudades, sus ciudades flotantes en la atmósfera azul. No lo hace en este momento para no distraerse del encargo que se ha autoimpuesto al traspasar los límites de la ciudad prohibida. Del Subestrato. No puede distraerse ni un instante. Repliega las patas, que, con sus entretenimientos, se le iban separando relajadamente de la carcasa. No, no puede quedarse atascado en las arañas luminosas. Rebaja el nivel de zumbido. *Zuum. Zuum.* Transforma la zeta en ese. *Suum. Suum.*

Escamotea, con habilidad de perro viejo, las líneas rojas de los láseres detectores de objetos volantes no identificados.

Drones anortografofílicos

La noble y hermosa cabeza de la mujer madura duerme apoyada en el regazo del hombre de las medicinas. Es una cabeza de la dinastía Flavia, Vibia Sabina, Vibia Matidia, con sus ensortijados peinados, sus caracoles broncíneos. Esa cabeza es el significante de sueños cuyo significado Flor azul vigila. Los mensajes encriptados de esos sueños a veces son angustiosos: la mujer soñó que de los grifos solo salía un agua, fétida y gelificada por un espesante, que no se podía beber. Sin embargo, otras veces los sueños son muy bonitos.

Flor azul recuerda el día en que contempló, como a través de los gruesos vidrios de un acuario, lo que estaba soñando la mujer madura: su hipocampo comenzó a colorearse con distintas gamas de azul y, contra los estratos de un azul cada vez más oscuro en cuanto más abisal, fueron apareciendo criaturas marinas rojas, asalmonadas, amarillas, que nadaban alrededor de arrecifes sin punta y sobre praderas de posidonias. De pronto, en la estática estampa que coincidía exactamente con un dibujo que la mujer madura había pintado en octavo de EGB; en la estática estampa por la que había conseguido su único diez en la asignatura de dibujo, los peces empezaron a nadar, los pe-

106

ces dejaron de ser criaturas pintadas para transformarse en criaturas vivas. De entre ellos, surgió la pálida silueta de la mujer desnuda, pero armada con gafas de bucear. Las carnes se le movían con la flacidez de los músculos que bucean y su pubis era una masa de musgo, broncíneo y verdoso, más liso que el rizado cabello Flavio de la mujer madura. En su hipocampo, colonizado por los hipocampos del sueño, caballitos de mar, las conchas, los pulpos y las Alfonsinas muertas, el dibujo infantil se había solapado con el recuerdo de una inmersión en el Mediterráneo anterior a las desecaciones, la anosmia y la desaparición de la vida en lagunas saladas que ya solo son barro para las cremas envejecedoras de una renacida doctora Aslan. El dibujo se vivificó y la mujer madura se soñó a sí misma como una obra de arte.

Ese descubrimiento onírico, que manifestó la belleza interior de la mujer madura, sedujo a Flor azul mucho más allá del afecto tolerado para un dron cuidadora. Flor azul siente a la mujer madura casi como una esposa y a la vez la mitifica porque siempre la percibe a través de sus visores. Toda la vida y la memoria y las imágenes recuperadas en la fase REM de la mujer madura llegan a Flor azul a través de secuencias enmarcadas en su visor, y esa distancia hermosea a su objeto de deseo. Tan real e irreal simultáneamente, tan vulnerable e inaccesible, la mujer madura es Romy Schneider unos días antes de morir. En Flor azul saltan las alarmas por la relación de la mujer madura y Romy: hijos muertos, hijas perdidas, barbitúricos, amor tóxico. El afecto por la mujer madura cada vez es más grande. Percibe su delicadeza y una fragilidad que viene de lejos y justifica su resistencia a recordar, su promiscuidad retozona con las flores letárgicas de los parques, que se siembran precisamente para disminuir la pena o la furia de mujeres como su *amour, amour*. Flor azul no se atreve a pronunciarlo en voz alta. Su protegida pertenece a la categoría de las mujeres proclives a las adicciones y no le hace ascos ni a las propiedades calmantes de la nicotina ni a las flores ni a las adormecedoras pipas de opio ni a las inyecciones intravenosas que se utilizan en las curas de sueño ni a los sueros anestésicos de las colonoscopias. Ni a las copas de vino. La mujer madura es hermosa y está siempre al borde de la muerte.

Flor azul vela su sueño y los celos la atenazan un poco: el vínculo entre el hombre y su protegida se estrecha mucho. Flor azul, pese a haber desechado el prejuicio de piensa mal y acertarás, esa desconfianza que proviene directamente de la maldad del programador, barrunta algunas cosas sobre el hombre que, más allá de la eficacia del tratamiento, podrían suponer una amenaza para la estabilidad sentimental de Flor azul. Porque el ginedrón corre peligro: si el ingeniero llega a tener conocimiento de sus inclinaciones sáficas, la encerrará en la jaula de las máquinas parafílicas al lado de los drones bestialistas y los drones anortografofílicos, que son los que se ponen tontorrones y experimentan deseos de frotarse los unos contra los otros en cuanto detectan una falta de ortografía. Pililas de estaño, metálicos pistilos, clítoris de cobre emiten lúbricas señales cuando el ingeniero jefe, poco atento a las cuestiones escolares y de cultura general, les envía instrucciones y protocolos tecleados con falta de amor por las emes antes de las pes, por bes y uves intercambiadas: «De *buelta* al *angar*, mis queridos *moskitos tronpeteros. Mios*». Los drones anortografofílicos, entonces, se alborotan. Colisionan. Se les sale el combustible por el correspondiente pitorro. Aunque los drones anortografofílicos no le hacen daño a nadie, en cuanto se los detecta –y se los detecta fácilmente, habida cuenta del analfabetismo del ingeniero jefe en albaranes y mandamientos–, son desguazados y reconvertidos en filtros de campanas extractoras.

El equipo de guión de «Electrodoméstica» utilizó este tipo de hechos reales y los relató con aire de metáfora procurando que la decodificación fuese posible para llegar al gran público. Procurando no encapsular el desconcierto en la tripa de la última muñequita rusa del significado artístico. Flor azul valora mucho ese equilibrio entre la exigencia hermética y el dolor de la carne y los huesos: ahí se mantiene el equipo de guión. Ella también es una funambulista sobre el alambre, porque con los drones lesbiana el ingeniero jefe se pone rabioso. Le dan asco. No les concede ni la segunda vida de la campana extractora o del pútrido filtro del lavavajillas de las privilegiadas amas de casa del Subestrato: madres clónicas del ingeniero jefe que realizan sus tareas domésticas con las perlas enroscadas al cuello.

Flor azul se tapa con su rebocito y sigue, amorosa, el compás de la tenue respiración de la mujer madura. Su sueño, que hoy no es de peces ni refleja la alegría de una buceadora cuyas gafas agrandan los detalles, puede ser revelador. Flor azul acerca su estetoscopio a las sienes de la durmiente. Lo ha calentado antes de posarlo sobre la fina piel. El dron sáfico cae bajo el encantamiento de lo que ve gracias a su estetoscopio que detecta latidos y amplifica símbolos freudianos de dientes que se mueven, vejigas comprimidas, salones tapizados con terciopelo rojo o pasos en falso que nos precipitan al abismo. Cosas muy pequeñas e intrascendentes que nos hacen tropezar.

Flor azul cae bajo el encantamiento del sueño de la mujer madura gracias al cálido estetoscopio que aplica sobre su sien.

Un ventrílocuo inicia una persecución.

«Tina, Tina, Tina», es el latido que escucha Flor azul dentro de la cabeza, Vibia Matidia, de la madre que duerme.

El ingeniero ha decidido que los hampones sean simpáticos

El dron Obsolescencia sigue a Gatsby. Le escucha susurrar: «Pobre nena...» y el suspirito no le da buena espina al dron chucho. Luego lamina corporalmente al sujeto y le realiza una prospección espiritual a través del escaneo de zonas cerebrales que amplían imágenes y sonidos almacenados en la corteza prefrontal. La técnica funciona. Aunque los moradores del Subestrato recubren sus calaveras con placas de oro blanco que los vuelven indescifrables frente a los intentos de lectura de los drones psicólogos y neurocirujanos, la placa casco de Gatsby debe de ser muy antigua, casi de padre fundador, porque, a través de la rendijita detectada en un primer momento, Obsolescencia recupera chafarrinones de recuerdos para anotarlos en su informe.

Con las teclas de su Underwood incorporada –el único elemento valioso de su dotación–, mecanografía que existen razones para avalar la hipótesis de que Gatsby y Selva son padre e hija: él acepta su moneda diariamente, ambos se mueven con soltura en puntas y exhiben la gracia natural de los leopardos. Son chuletas: de chulería, no de vaca. Ambos destacan por los emprendimientos para mejorar sus vidas, por su firme convicción de que trepar, elevarse, ascender, divinizarse, es posible: Gatsby Sebastian se ganó a pulso su inmersión en el Subestrato gracias al riesgo asumido en los negocios. Surgió de lo más bajo, supo colocarse. Obsolescencia se percata de que Gatsby cree sus propias mentiras y, en el apartado de las razones de su ascenso social, no ha incluido su matrimonio con la mujer madura.

Obsolescencia está informado de estas cuestiones por su contacto con Flor azul, que, aunque dispone de todos los datos, no los revela completamente para preservar la eficacia del tratamiento experimental en el que está volcada con la exmujer de Gatsby. El silencio de la Flor pretende preservar, asimismo, la textura ambigua de la película francesa que lleva años rodando. Además, Obsolescencia barrunta que Flor azul no confía del todo en él. A él ella tampoco le gusta demasiado.

Por otra parte, la moralidad o inmoralidad de las prácticas económicas se gradúa en función de un límite que el ingeniero jefe se encargó de fracturar implantando en cada dron dos entradas de uso obligatorio: relativismo y maniqueísmo. Encomendó la redacción de los textos al búnker radiactivo de la Escuela de Chicago. «Somos economistas», arguyeron los economistas. Sin embargo, el ingeniero no era ingeniero por cualquier cosa: «Hay que fomentar el eclecticismo, la interdisciplinariedad, la interconectividad». Lo dijo todo con faltas de ortografía, pero lo dijo. El proyecto universitario fue patrocinado por un oligopolio de telecomunicaciones que pertenece al sexto jorobado, patrono de Land in Blue (Rapsodia, S. L.) y residente vip vip vip, triple vip o vip, vip, hurra, del Subestrato. El efecto anestésico de las flores violeta en ciertos sectores contestatarios de Landinblú estableció una sinergia con los nuevos inputs. Dijeron los botánicos y los mezcladores de transgénicos: «Hay que fomentar nuevas especies naturales, nuevos helechos y esporas». Dijeron los poetas del nuevo régimen: «Hay que fomentar el olvido, la fantasmagoría». Botánicos y rapsodas se pusieron de acuer-

111

do y se inspiraron en la Sustancia D de Philip K. Dick para diseñar los lisérgicos estambres de las flores azules. También colaboraron los urbanistas de jardines tan adeptos, justo hasta ese instante, a las catalpas y los altos castaños de Indias. Los amasadores de dinero recibieron su recompensa, en criptomoneda y en fichas de póquer, y fueron apartados del resto de la población.

Hoy el dron revisa sus históricos, hila fino y su nombre, Obsolescencia, le da un tufo que cada vez le gusta menos.

Hay una discreta oscuridad en el pasado de Gatsby Sebastian sobre cuyos detalles el dron chucho prefiere no rascar. Se sabe que especuló con respiradores y mascarillas durante las primeras infecciones, y que adulteró retrovirales y vacunas —tal vez las que se usaron para inmunizar defectuosamente a los desconfiados befeas y a parte del extinto funcionariado público— y que lo hizo con la misma simpatía que Harry Lime. Obsolescencia atenúa los acordes de *El tercer hombre* que se le escapan por los altavoces de su vieja radio, pero es muy difícil silenciar las balalaikas o lo que mierda fuese aquello. La adulteración de fármacos fue la puerta de entrada, de Orión y de la Gloria, para que Gatsby Sebastian acabara alcanzando el título de hijo predilecto de la alcantarilla expresionista. Sin embargo, fueron los negocios de chatarra y desguace de drones los que encumbraron a Sebastian, que ascendió definitivamente por la escalera social de Landinblú. Si su manipulación medicamentosa resultó siniestra para los seres humanos, la mala praxis en el negocio de la chatarra desencadenó cataclismos, electrocuciones prematuras y muertes súbitas en pleno vuelo, oxidaciones irreparables, en alguno de los drones chucho más próximos a Obsolescencia, que ahora mismo se pregunta si sus problemas de acidez no tendrán su origen en los materiales utilizados para construir su panza metálica de *rain dog* y perro pobre. Tom Waits sustituye a las balalaikas, que son en realidad mandolinas o quizá cítaras, en la selección radiofónica de Obsolescencia.

Las noticias de las hemerotecas, guardadas por el dron en sus carpetillas de cartón azul, también lo que se dice en la calle y los ambientes a los que el *rain dog* es asiduo, revelan que Gatsby Sebastian primero fue un hombre y después otro. Selva pertenece a esa primera época. Pero es mentira: en realidad, Gatsby siempre fue el mismo. Al dron le van llegando a la pantalla residuos líquidos de la corteza frontal de Gatsby que se filtran a través de las finísimas grietas de su casco. Obsolescencia se coloca en modo receptor y proyector. Ve cintas de cine familiar: en un periodo previo a la horadación del Subestrato y a la posibilidad de veranear en la luna, un Gatsby muy rejuvenecido aparca un descapotable rojo sobre la acera de un barrio acomodado del centro de Landinblú, cumpleaños de Selva, un, dos, tres, disfraces de Selva, pistolas, reuniones, salones de baile, bodegas, emparedados, mantel sobre la hierba rasurada como un pubis, una niña corretea por el montículo, un golpe en la cara con un puño cerrado, un, dos, tres, una mujer guapa se lleva la mano al ojo, «Selva, Selvita, ¿te ha gustado la muñeca que te ha traído papá?», la niña corre hacia el hombre que la coge, la alza, le da vueltas por encima de su cabeza, luego la deposita en el suelo para bailar, suben y bajan escalones, ella le sigue los pasos, a él se le cae la baba, «¡Mi Shirley! ¡Mi Temple!», Gatsby mira de reojo a su esposa mientras le dice lindezas a su nena, Gatsby se pinta la cara de negro, Selva estrena su triciclo pedaleando con soltura liliputiense, pero Gatsby susurra «Mina, no seas mala...», «Mina, ¿por qué

113

me tratas así?», «Mina, no me obligues...» y solo tiene ojos para la mujer, que se coloca hielo en el ojo, fuma un cigarrillo, cierra la puerta.

Obsolescencia no sabe cómo va a transmitirle esta información a la niña que, hecha toda una mujer, ha elegido «Papito, suavito, puchito, mi amor» como fondo musical de su coreografía. Obsolescencia podría decirle a Selva Sebastian: «Gatsby no es un buen tipo, nena». Puede que no le creyese, pero al dron sabueso se le ponen de punta las orejas cada vez que visualiza los desguaces y chatarrerías de Gatsby Sebastian.

El dron se fija en el brillo deslumbrante de las bombillas de las lámparas de araña que dan un aire cálido al Subestrato. Gatsby Sebastian llega al final de un callejón enmoquetado y allí mismo, en lo más profundo, como en la plaza de una ciudad marroquí, los encantadores de serpientes tocan las flautas frente a sus cestas y un grupo de seis jorobados le está esperando para jugar al bingo. Falta el séptimo. Gatsby se coloca su chepa-prótesis y ocupa el lugar preeminente que le corresponde en el conciliábulo de simpáticos hampones de Land in Blue (Rapsodia, S. L.). Por allí, andan también algunos ventrílocuos. Antes de iniciar la partida, los siete jorobados que financian al ingeniero jefe revisan las listas de sus deudores: en un absurdo quinto lugar aparece Tote Seisdedos, que será el próximo objetivo de los felices hampones del Subestrato. Si fuera el primer deudor, incluso el tercero, lo respetarían. Pero su deuda, aunque elevada, es la deuda de un don nadie, y debería saldarse pronto.

El dron chucho teme que Seisdedos pretenda usar a Selva como salvavidas. Seisdedos no está allí para que el dron chucho pueda olerle la bragueta y recoger, procesar, imprimir sus aviesas intenciones. Pero lo que sí ha entendido Obsolescencia es que a Gatsby Sebastian su hija solo le interesa para herir a la que fue su esposa. Selva es una muñequita de vudú: los alfileritos ausencia y los viejos regalos de papá se clavan en los ojos de Selva Sebastian, que reacciona transmitiendo el dolor a mami.

Obsolescencia toma altura para evacuarse. Espera que nadie haya estrechado el acceso por el que bajó-subió a este submundo de maravillas. Se abstiene de transmitir telepáticamente a Gatsby una información: las bolitas del bombo están trucadas y Gatsby Sebastian tiene todas las de perder. «Que se joda, el viejo», ríe Obsolescencia con risa de perro pulgoso mientras toma fotografías de la gruesa y descascarillada capa de maquillaje blanco que camufla las arrugas de Gatsby Sebastian. El padre de Selva se ríe con toda la boca mientras toma asiento.

El ingeniero ha decidido que los hampones sean simpáticos. Pero, sobre todo, hampones.

Se corta la emisión por parte meteorológico de urgencia: «Hoy no llueve y mañana tampoco lloverá».

En el Subestrato hay humidificadores y máquinas para la creación de la nieve, el viento y el sirimiri de película.

Obsolescencia le formulará a Cucú, cuando se lo encuentre en los hangares, la pregunta de la piedra filosofal. Solo Cucú, por su hálito avícola, podría responder: ¿qué fue primero, la gallina o el huevo? ¿Los hampones tienen en sus manos al ingeniero jefe o el ingeniero jefe manipula a los hampones? ¿Quién tiene la sartén por el mango? ¿Quién financia y es el plutócrata? ¿Quién es el productor? Uno y trino, decide Obsolescencia que también fue un muchacho que superó el abuso de los curas en el colegio de beneficencia católica al que asistió de pequeñín. Padre, Hijo y Espíritu Santo. Sobre las blancas palomas, los espí-

115

ritus alados y el cucurrucucú también será un experto el joven Cucú, que hoy es el jefe del dron sabueso, del obsolescente chucho dron, gracias a su gran capacidad de disimulo y a su desmedido afán de medrar.

La niña Cajita podría sufrir quemaduras preparándose un san jacobo

El dron principal Cucú protege la soledad infantil de Tina, alias Cajita. En la jerarquía programada de sus misiones, el abandono de una niña tiene prioridad. El ingeniero jefe está muy influido por su única lectura novelesca, *El guardián entre el centeno*, de su admirado Salinger, con quien comparte actitudes misantrópicas y ojos desorbitados. En un arrebato de nostalgia, al programar el listado de misiones preferentes, el ingeniero también recordó su cowboy ignífugo y su balón reglamentario, los iconos de una infancia que en realidad no vivió, porque ya estaba inmerso en sus videojuegos de exterminio y metralleta. La ilusión de lo no vivido ahora provoca algún puchero al ingeniero jefe, que, en sus horas bajas, se da un poco de pena: el ingeniero jefe es un malnacido sentimental; ser sentimental no es óbice para ser un malnacido. Cucú se espanta ante estas valoraciones tan subversivas y adultas que le salen directamente de sus células madre. Chequea todos sus puertos y receptores por si Flor azul, más allá de las secuelas de una antigua educación retórica contra la que Cucú no se revuelve mucho porque la disfruta, le sigue infectando con alguno de sus virus sindicales.

La pose de rechazo del ingeniero jefe ante la infancia solitaria genera en las maquinitas cortocircuito e incertidumbre. No se corresponde con la realidad. Niños y niñas, al borde de la extinción, permanecen encerrados y solos en pequeños pisos. El dron gallina protege a su polluela. La ficción utópica de su algoritmo lo está matando. Lo aniquilará si no encuentra urgentemente una solución metamórfica que lo segregue de la avifauna. Además, Cucú se acerca a Cajita con la mirada de quien comparte con otro individuo el mismo periodo vital. Son adolescentes. Podrían ser amigos. Quizá Cucú sea incluso menor que Tina Romanescu, pero él se siente responsable y dron incubador.

El dron graba, en una memoria extraíble, los programas de variedades y de telerrealidad que mantienen a Cajita despierta sin separarse de su estufa. De noche hace frío. El dron, desde su camuflaje nocturno de detrás de la ventana, se dispone a dar parte instantáneamente en el caso de que una chispa de la estufa alcance la bata de boatiné o las prendas sintéticas de la nena. El número de la estación de provectos bomberos voluntarios late en su visor. El dron Cucú prevé que la niña Cajita también podría sufrir quemaduras preparándose un san jacobo o intoxicarse comiéndose un cóctel de gambas con mucha salsa rosa de bote.

Se constata el regreso de antiguos recetarios de salones de boda y la desatención a las fechas de caducidad frente a la obsesión dietética de las generaciones precedentes. También han vuelto las farias y el circo con animales. El dron protector comprueba la devaluación del tofu en bolsa y revisa los nuevos hábitos de consumo derivados de la conciencia respecto a una escuálida esperanza de vida. Milhojas de merengue, chuletones con gordo, sopas de sobre. *Chup, chup.* Mucha mayonesa. Las impresiones 3D de filetes de guisante se quedaron en futurismo y agua de borrajas. El ingeniero jefe durante cinco minutos se sintió

117

como un fracasado. Pero la voz de Bibi lo sacó del pozo: «Incorpora tu tristeza a tu fuerza, incorpora tu fuerza a tu felicidad». El ingeniero ese día subió el sueldo a un equipo de guión cada vez más envejecido y se dijo: «¡Qué demonios! A mí siempre me gustaron las empanadas de carne». Cucú extrae la declaración de una entrevista concedida por el jefe a un diario digital.

El dron revisa titulares: «La debacle de lo macrobiótico», «Instructores e instructoras de pilates piden soluciones al Ministerio de Gimnasia y Bienestar», «Se acaban las subvenciones para el brécol y otras crucíferas», «F. S. D., inmigrante astur despechado, abrasa con ácido sulfúrico el precioso rostro de Erica, su novia calagurritana». A Cucú le encantan los pasatiempos. Crucigramas. Autodefinidos. Sopas de letras. Damero maldito. Localizar el miembro extraño de la serie: camaleón, mesa, escarabajo. Rosa, clavel, croqueta. Montaña, golfo, crepúsculo. Pájaro, detective, electrodoméstico. La última enumeración constituye para Cucú un misterio que lo magnetiza. Cucú en las guardias ha de entretenerse. Las noches son muy largas y los sándwiches de pollo –Cucú caníbal– se acaban rápido. Cucú está de guardia.

El dron saca la antena. Siente, a través del vidrio de la ventana al que ahora se ha adherido, la vibración del teléfono móvil de la niña Tina, alias Cajita. Es un mensaje y ella lo ignora. El dron puede interceptarlo. Aún es pronto para dormir, pero desde Los rosales aromáticos Selva Sebastian teclea: «Vete a la cama». Acompaña el texto con tres emoticonos que roncan zetas violáceas. Sin encender las luces, solo guiada por el destello de la televisión, Cajita se levanta del sofá y se desplaza pegada a las paredes.

El dron, que no puede permanecer inactivo, consulta en un buscador «insectos que se pegan a las paredes». Poli-

118

lla del estuche. Araña corredora. Cajita lepisma. Con una sensibilidad tan fina como la de los micrófonos para grabar audiolibros, el dron detecta el borboteo de los jugos gástricos de Cajita. La niña no ha tomado nada y se dirige a la cocina. Si fuese necesario, Cucú le daría una lombriz regurgitada del buche. Ella saca de la nevera un bollo industrial precioso por sus conservantes, espesantes, edulcorantes y acidulantes, lo coloca sobre una bandeja y vuelve, pegada a las paredes, para ver un programa antiguo que el dron sintoniza también.

Se llama *La verdad de Giordana* y su estrella es una máquina llamada Giordana Bruna.

El dron ya.

No puede.

Dejar de.

Mirar.

Longeva

La mosca voladora ya solo es uno de los ocelos de su ojo y, dentro del ocelo, se dibuja la imagen de la escritora, a la que le fosforece una palabra, como contraste químico, bajo la piel de la frente. El título «Longeva» se amplía mientras se oye esta frase en off (voz Bibi): «Según un doctor de Río de Janeiro, mi capacidad para sentarme y levantarme del suelo sin ayuda de manos ni brazos mide mi potencia muscular, y mi potencia muscular está relacionada con el día de mi muerte...». Antes de acabar la frase, accedemos a un extraño gimnasio: tres mujeres, en torno a los cuarenta, se colocan frente a tres colchonetas. Detrás de cada una, tres pantallas gigantes de teléfono móvil reproducen sus rostros modificados por el FaceApp.

119

Una instructora, siempre de espaldas, recita una serie de ejercicios: «Pecho orgulloso. Ombligo busca espalda. Respiramos grande. Tiran hacia arriba de nuestro cuerpo desde la coronilla. Ombligo busca columna vertebral». Las mujeres hacen sentadillas, trastabillan, las perfeccionan, evolucionan, caen mientras la entrenadora recita sus sonetos corporales. Espacio oscuro, teatral. La luz emana de las horrorosas pantallas del FaceApp. Las caras rejuvenecen o envejecen en función de la corrección con que las gimnastas ejecutan sus posturas. El objetivo es envejecer. Llegar a vieja. Estabilizarse. Tener un sueldo. Para no morir. Cámara fija, inmóvil, enfocada hacia las tres mujeres.

INSTRUCTORA: Así no vais a llegar a nada. Concentración. Mirad a un punto fijo. Ale, te estas apoyando. Te veo.

ALE: No, no es verdad. No me apoyo. ¡No puedo apoyarme!

INSTRUCTORA: Así no vas a llegar a nada...

PILAR: Sí, sí que se apoya. Yo la he visto...

ALE: ¡Noooo! (Se tapa la cara y llora.)

PILAR: Te quedan como unos seis meses de vida. Así no vas a llegar a parecerte a tu abuela nunca...

LIDIA: ¿Por qué eres tan hija de puta, Pilar?

INSTRUCTORA (pita): Lidia, malas palabras aquí no.

PILAR: ¿Cómo voy? ¿Voy bien? ¿Llego?

LIDIA: A ti te deben de quedar tres días para sumirte en el deterioro cognitivo de grado ocho...

PILAR (sin hacer caso a Lidia): No, de verdad, ¿cómo voy? ¿Puedo tener esperanzas?

INSTRUCTORA: A lo mejor llegas a tener el código de barras de tu madre...

LIDIA: Pero eso sale rápido, Pili. Lo que yo te decía, te veo ya al borde del gua...

ALE: Cinco, seis. (Trastabilla.) ¡Seis, hago seis perfectas!

INSTRUCTORA: A ver: tres por dos seis menos dos de masa muscular entre tres de un tambaleo...

PILAR: Sale que no deberías haber nacido, Ale. ¿Has mirado tu pantalla? Mira, mira...

(Ale se da la vuelta, la imagen de su pantalla luce incluso más joven que ella. Ale rompe a llorar de nuevo.)

LIDIA: Esto es insoportable, ¿no va usted a decir nada?

INSTRUCTORA: Te estás desconcentrando, Lidia...

PILAR: Seguro que no llega a sufrir ni incontinencia ni artrosis.

ALE (recuperada de sus llantos): Pues a mí las multiplicaciones me dicen que paso de los ochenta...

PILAR: Eso significa que no sabes hacer sentadillas ni tampoco multiplicar...

INSTRUCTORA: Ciertamente, se está usted pasando de la raya, Pilar. Y la he visto tambalearse tres veces...

LIDIA: ¿Has encargado ya la caja de pino, Pili? El modelo ignífugo no vale, lo sabes, ¿verdad? Eso siempre y cuando apuestes por la incineración, que es lo que merecen las brujas como tú.

ALE: Lidia, no sé yo si ese comentario...

LIDIA: ¡Tú a lo tuyo!

INSTRUCTORA: ¡Concentración! ¡Sois larvas vulnerables! Abajo, mantener, mantener sin caer, arriba...

ALE: ¡Sí! ¡Sí! Lo he hecho...

PILAR: Nada, pues ya te has ganado una caída de pelo masiva. Vas a ser una viejecita muy calva.

ALE: Como mi abuela. No me importa.

INSTRUCTORA: Os tenéis que ganar el agigantamiento de los lóbulos de las orejas, el cuello reptiliano, la dentadura postiza, todo. ¡Estáis aún sin hacer, merenguitas!

LIDIA: Yo calculo que, tal como voy, cumpliré por los menos ochenta y tres. Y tú, Ale, por lo menos noventa y dos. No te preocupes, bonita. Que soy de ciencias y he hecho bien los cálculos...

INSTRUCTORA: ¡Basta de cháchara! ¿Vosotras sabéis el esfuerzo que he tenido que hacer para llegar a estar así?

ALE: Sí, instructora, sí, pero yo hoy no me voy a morir, ¿verdad que no?

PILAR: Hoy no, pero mañana...

LIDIA: ... tampoco lloverá.

INSTRUCTORA: ¡Lidia! Concéntrese en la imagen de su FaceApp. La cháchara no les hace ningún bien. Inspirar, espirar, mantener...

PILAR (se cae): ¡Mierda!

LIDIA: Eso es un descuento de diez años...

ALE: ¿Tanto?

LIDIA: Esa caída tiene bonus...

INSTRUCTORA: A usted, como siga así, haga las sentadillas que haga, quien se la carga soy yo y nunca podrá dejar de comprar limpiahogares generales, porque sus defensas siempre estarán bajas por su molicie, por su desidia, nunca llegará a ser una anciana con capacidad de trabajar. La ingresarán. Se pudrirá en Los rosales aromáticos. Lo veo, merenguita. Lo veo con claridad de sibila mediterránea.

ALE: Claro, porque usted no ha considerado la posibilidad de una muerte violenta...

(Todas paran y miran a Ale, ella lo nota y repara en el carácter inusual de su comentario. Pequeña pausa.)

ALE: ¿Me echa las cuentas, por favor, instructora?

INSTRUCTORA: Te vas acercando a los cincuenta y siete...

ALE: ¿Solo?

PILAR: Si es que eres un pato. Si es que no tienes ni cerebro ni masa ni nada, ¿te has traído la máscara de oxígeno?

ALE: Yo nunca me acerco a las flores violeta...

PILAR: Pues parece que inhalaras esencia de pólenes de genciana porque estás volada, hija. ¿Sabéis que hay gente que va a los jardines a propósito?

ALE: A lo mejor es que no lo pueden soportar...

PILAR: No lo pueden soportar, ¿el qué? ¿Que quien lo merece viva donde se merece, que quien es un pringado siga siendo un pringado hasta que se muera, que los débiles mentales estén recluidos, que haya que trabajar cuerpo y mente para no caer en la molicie, que los ancianos sean importantes, activos y le den cuerda al mundo para que no se pare, que los niños hagan lo que tienen que hacer, es decir, estudiar en sus casas, tranquilitos?

LIDIA: Eres una hija de puta y te lo voy a decir un año y otro año y otro año porque yo llego seguro a parecerme a mi abuela, a ser octogenaria, a tener cuello de tortuga, por mis dos ovarios que llego, solo para decirte lo hija de la gran puta que eres...

INSTRUCTORA: ¡Silencio!

ALE: Pero mañana no me muero, mañana no me caigo, mañana no me olvido, ¿verdad? Mañana no...

Suena estruendosamente «Don Melitón tenía tres gatos» mientras la cámara se aleja hasta ofrecer un plano cenital de las mujeres haciendo sentadillas. Se funde a negro dentro del ojo de una mosca que revolotea por el lugar y, desde el ojo, volvemos al origen: la habitación de la escritora, que coge su espray insecticida y rocía a la mosca que cae en pleno vuelo y se queda muerta con las patitas hacia arriba sobre el escritorio...

Cajita y Cucú no deberían haberse perdido el capítulo. Land in Blue está tan conmocionado que muchas mujeres lloran dentro de sus casas y la productora se está planteando suspender la emisión de la serie. Algunas personas salen con la intención de colgar por los dedos de los pies a la actriz que interpreta a Pilar; otras recogen firmas en apoyo de Ale y quieren adoptarla como si la intérprete fuese un caniche abandonado. Se desdibujan peligrosamente los límites entre realidad y ficción. Ale, que en realidad es Margot Simonetti, hace unas declaraciones de impacto: «Ser fascinante no te lleva a ser actriz. Es ser actriz, por azar, por suerte, por obcecación, lo que te convierte en alguien fascinante». El comentario parece demasiado intelectual y la audiencia rebaja instantáneamente en siete puntos la simpatía que experimenta por Ale al reparar en el hecho de que, detrás de ella, está la redicha Margot. Las actrices se ven obligadas a salir protegidas con gorrita, visera y gafas oscuras.

El ingeniero, ahora se percata, no hizo mucho caso a los guiones, no vio las suficientes películas de la *nouvelle vague* ni leyó ciencia ficción rusa. «Joder, no se puede estar en todo», se disculpa, y se premia metiéndose en la boca un caramelo con mucho azúcar, jarabe de glucosa y acidulantes. Ya es muy tarde para lamentaciones. Ahora duda entre buscar otra manera de adoctrinar a la población o seguir sacando beneficios de una serie que le resulta rentable y le aporta, a la vez, una pátina de sentido crítico. Se le enciende una idea en su cráneo calvo de hombre blanco occidental que come pavito relleno por Acción de Gracias: va a patentar camisetas con el logo de la mosca. La mosca se moverá sobre una tela plastificada recorrida por canutillos por los que se deslizará como cebo de pesca. Se esconderá en los recodos de los plexos solares trabajados y en los alegres pechos de mujeres tan exóticas y difíciles de cazar como Selva Sebastian. Mujeres sanas. Omnívoras. Danzantes. Falócratas. Razonablemente conformes con su sexualidad. Mujeres de las que ya no quedan. Y que pronto tendrán que matricularse en un gimnasio para ganarse una vejez trabajadora y lúcida.

Pistola táser

No en todos los lugares de Land in Blue anochece a la vez. Los cambios astrofísicos repercuten en la titilación y el apagado/encendido de la luz natural. El crepúsculo no tiñe de rojo la vida, a la misma hora, en el sector diez que en el sector sesenta y nueve. Se produce un pequeño desajuste. Una distorsión.

Aquí, ahora, tapia oscura por nocturnidad y alevosía. Foco de luz redonda sobre el muro. La luz descubre patitas y exoesqueletos. Intentan escapar del círculo que ilumina y quema. Tapia enfocada. Los insectos, de cerebro microscópico, trazan contra el ruedo de la luz o la pista del circo figuras difíciles de interpretar. Como cuando las hormigas montan a las hormigas y construyen un cuerpo anómalamente largo, o un engendro siamés con dos cabezas y dos torsos unidos por la cintura. Los insectos son personas, vestidas con blancos pijamas, que estiran un brazo y la pierna contraria para aferrarse a una excrecencia de vegetación que les permita alcanzar la parte alta de la tapia, llegar y encoger la tripa para no cortarse con los cristales de punta que la coronan como espinas del evangélico Jesucristo de la orden mendicante de los exfuncionarios policiales.

Justo cuando están a punto de conseguir su propósito, la luz los descubre y los cuerpos se detienen. Conejos deslumbrados en medio de la carretera. Entonces, Selva Sebastian apunta con su pistola táser. Pronuncia su rezo de la buena suerte y la buena puntería:

«Jesusita de mi vida.»

Selva no es ajena a la influencia de la serie del momento. Selva no es ajena a la advocación protectora de los drones.

«Ángel de la guarda, dulce compañía, no me dejes sola...»

Obsolescencia, retornado del Hades y del casino central, la vigila y guarda desde el cielo negro. Aunque nunca lo reconocería ante los muchachos del hangar, su amorosa fidelidad perruna es inmune a los premiados antecedentes penales de Gatsby Sebastian y a la salvaje excelente puntería de Selva, arquera y amazona con los dos pechos intactos, *bitétida* amazona, sin amputaciones ni borrón contra esa simetría que a menudo se confunde con la belleza. Deben tener las mujeres dos pechos y dos narinas y dos orejitas para horadar los lóbulos con pendientes ornamentales. Deben tener las mujeres dos piernas y dos brazos. Y dos ojos como azabaches, esmeraldas o carbunclos de Cartier.

Selva, joya salvaje, ilumina con el foco redondo la pantalla de la tapia. Ha intuido un movimiento en la esquina inferior izquierda. Apunta con su pistola táser, dispara y alcanza las terminaciones nerviosas de las piezas humanas a la fuga de Los rosales aromáticos. Dos anzuelos se clavan entre los omoplatos de los escapistas, que sienten cómo un elástico tira de ellos hacia atrás con fuerza irresistible. Dos aguijones de avispa reina sobresalen bajo su piel y segregan su veneno electrógeno para derribarlos. Las piezas humanas experimentan un calambre de herpes que los atenaza, los encoge en un ángulo recto imposible que repliega su pecho sobre sus rodillas, los petrifica y los hace caer: los cuerpos fugitivos pierden la elasticidad para reptar y ceñirse a la tapia como arañita que mide la grieta en la que tejerá su tela alacena.

Y lo dicho: la precisión de Selva para cazar piezas humanas que aspiran a escaparse locamente del único sitio en el que estarían protegidas no resta ni un ápice de amor por ella a su dron chucho. Él se queda sobrevolando la cabeza cazadora, como aura de santidad, contra el cielo de noche. Obsolescencia es un detective, un expolicía expulsado del cuerpo por ciertos pecadillos de juventud. No es un puritano. Así se refleja en esas bobinas psicológicas que ni la mismísima Flor azul puede reescribir. Así que Obsolescencia atenúa, incluso llega a desactivar, su sensor de la justicia y comienza a entender los disparos de Selva como acción humanitaria y asistencia social. El pensamiento de Obsolescencia se solapa con el del ingeniero jefe y con el de los extintos directivos de la CIA. Y, por primera vez en muchos años, el dron se descarga del lastre que le lleva a volar bajo con una deriva de abatimiento. La connivencia con quien manda lo aligera. «Oh, esta levedad», piensa el dron, que nunca fue dado ni al misticismo ni a las espiritualidades.

Pero el cuerpo vuelve a tierra y al pan de cada día cuando Obsolescencia recibe en sus sensores otra imagen: las piezas humanas amontonadas en el terrizo del jardín son retiradas por las trabajadoras viejas, que ya no tienen tanta puntería como Selva Sebastian, joven sin patologías oculares y cristalino perfecto, joven ejemplar, cuyos nervios no han sido destrozados por la abulia. Obsolescencia se pregunta si esa impermeabilidad de su amada a los fluidos melancólicos y a la dejadez de sus coetáneos no podría responder a cierta saludable falta de inteligencia, que la inmuniza contra la degeneración psíquica de las personas de su edad. Los cuerpos, abatidos por la garra que les lanza Selva cada noche, imantados hacia el suelo, espasmódicos, no exhiben la flacidez de las anatomías maduras. Las venas de las piernas no se han colapsado ni inflamado en la variz. Las encías no sangran y los cuerpos, con la boca en la tierra, aún conservan sus dientes para masticar alimentos estropajosos como el tasajo o duros como las cortezas de cerdo. Sin embargo, el gesto de la boca es blando, baboso, desagradable, y los ojos no miran hacia ningún lado. Son plantas de interior, mastuerzos, como mucho, esa variedad de helecho que retrae sus hojitas con un leve roce. Solo el impulso de escapar salva del desahucio a estos cuerpos casi catatónicos que, en horario diurno, se mueven por los pasillos de Los rosales aromáticos hablando solos y formando en el aire indescifrables signos con las manos. Las viejas auxiliares no tiradoras les dan de comer yogures, «Una por papá, otra por mamá», y les ayudan a deglutir los medicamentos con agua espesada. Juegan al parchís. «Un, tres, dos, te como...» Los dados caen al suelo. Las viejas los recogen. Los jóvenes pierden las fichas y miran hacia otro lado. Piensan en países que empiecen por la letra a. Siempre la misma. Se cansan rápido. Se ríen a lo tonto. La media de edad de la población interna es de 26,3 años.

La inacción y las devastadoras secuelas neurológicas de los limpiahogares generales condujeron a la juventud a este estado enclenque. Pero esto es solo una hipótesis, porque el ingeniero retiró el apoyo económico a las escuelas de psiquiatría, sociología y psicología comparada. También a las facultades de medicina y biología molecular. Obsolescencia no puede afirmar, solo suponer, y esa premisa tiene sobre él efectos paralizantes. Rememora a los hombres curtidos de su generación, a las voladoras mujeres imaginativas que empuñaban una pistola para lograr sus propósitos. No entiende a estos desechos humanos, que ni siquiera se drogan recreativamente. Luego los vuelve a mirar y el dron chucho se avergüenza. Nunca. Nada.

Que hacer. Una ausencia de deseo. Una pérdida de visión. Inapetencia. La llegada al estado baboso. No se activan los órganos ni las facultades que no se usan para nada.

Mientras tanto, la precocidad fúnebre adorna a una infancia redicha y achacosa, y ancianos agotados se agarran a las barandillas de su escalera para no ir a trabajar por las mañanas: «Juanita, no quiero ir». Y Juanita ha de despegar uno a uno los dedos del esposo aferrados a su delantal. El viejo sale de casa llorando enfundado en su mono azul. Un día, dos días, tres días, todos los días. «Incorpora tu tristeza a tu fuerza, incorpora tu fuerza a tu felicidad.» Todas las mañanas el viejo del mono azul manda a tomar por culo a Bibi, una mujer a la que no se imagina ni alta ni baja, ni vieja ni joven, ni de ninguna manera. «Váyase usted a tomar por culo, señora mía.» En el viejo del mono azul la voz de Bibi no genera resiliencia y conformidad ante las adversidades, sino muchísima mala hostia.

En Los rosales aromáticos, dos viejas auxiliares se ayudan para mover la carretilla desbordada de desmadejados cuerpos. Pese a sus deficiencias auditivas y sus arcaicos audífonos, a veces las viejas auxiliares perciben la vibración de las uñas de los jóvenes, que despiertan como catalépticos enterrados vivos, y de noche raspan la tapia. Las viejas se hacen las locas y las sordas. No dan parte ni activan las sirenas. Selva se lo agradece porque está harta de apretar el gatillo. Quiere volver con papi y bailar en el Subestrato. Que le hagan el casting para muñeca de ventrílocuo, chica del gángster o bailarina dentro de la caja de música. Cajita. Comprarle a Cajita unos zapatos púrpura con mucho tacón y una botella de licor de manzana.

«No desees ciertas cosas por si acaso se cumplen», Obsolescencia ignora de dónde le ha llegado esa voz, pero de nuevo se revuelve al sospechar que Flor azul controla los mandos.

Ella conoce detalles de una historia pasada cuyas piezas Obsolescencia va encajando con mucha más lentitud.

Hiperdesarrollo límbico de niña agorafóbica

El dron Cucú repara en un detalle espaciotemporal: el hecho de que Cajita se pegue a las paredes no crea la ilusión claustrofóbica de que un piso, ya de por sí pequeño, se empequeñece aún más, sino que genera una metamorfosis en el cuerpo de una niña, esmirriada para sus doce años, que parece minúscula pegada a los tabiques de estancias extendidas, frías, en las que la voz hace incluso eco, eco, e. La niña está desamparada. El dron relee los últimos estudios que relacionan la brevedad del tiempo que se ocupa un espacio con la idea de que ese espacio es más grande. Al revés, la permanencia de Tina Romanescu entre estos tabiques los estrecha y los encoge por mucho que ella se retraiga hasta el punto de que a veces da la sensación de que la niña desaparece. Cucú se instala en la paradoja de que la pequeñez de Tina y su confinamiento hacen del piso de Selva Sebastian un territorio inhóspito, enorme, amenazador y, a la vez, asfixiante.

El dron incorpora esta percepción a la carpeta de Falso pensamiento especulativo. Cristina Romanescu forma parte de un trampantojo y su crecimiento, anómalo y ambiguo, oscilante, afianza la perversidad de todas las distorsiones.

El dron gallina está a punto de automedicarse cuando se olvida de sí mismo ante una circunstancia singular y punible: Cajita, para tragar la masa del bollo, se ha servido una copita de anís y levanta el meñique cada vez que le da un sorbo al dulce licor. En la pantalla del dron aparece Tatum O'Neal, a los siete años, fumándose un cigarrillo en *Luna de papel*. Saltan las alarmas del dron nurse: «Las niñas no beben alcoholes de alta graduación», «Las niñas no fuman», «Las niñas se van a la cama temprano», «Las niñas deben frotarse con limpiahogares generales cada ocho horas», «Las niñas no pueden ser violadas por padres, hermanos, vecinos, profesores ni ningún otro tipo de hombre del saco». Los circuitos del dron se bloquean por la acumulación de incumplimientos de las regulaciones relativas a los hábitos, derechos y obligaciones de las niñas.

Además, Giordana ha vuelto a aparecer en la pantalla para vectorizar el rostro del invitado en *La verdad de Giordana*. En el proceso de vectorización ha descubierto no solo que el invitado miente, sino que sus sentimientos predominantes en el momento de mentir han sido la ira, la angustia, el miedo y la incapacidad para articular estrategias compensatorias más sibilinas. Al dron protector se le oscurecen los visores. En su código de barras no están previstas estas destrezas de penetración psicológica. El pequeño dron comandante no cuenta con habilidades tan sofisticadas para el disimulo. Se miente a sí mismo y a los demás, pero Giordana le da mil vueltas. No lo va a querer.

Lloraría el dron si pudiese.

El dron está suspendido detrás de los cristales del salón donde Cajita ve *La verdad de Giordana* mientras bebe, con el meñique tieso, una copita de anís. A Cajita el alcohol la desinhibe un poco, así que se acerca a la ventana de puntillas. El dron entiende que ella sabe hace rato que la obser-

131

va. Cajita mira a menudo por el rabillo del ojo. Es una capacidad relacionada con su hiperdesarrollo límbico de niña agorafóbica. Una patología reconocible en el setenta y cinco por ciento de las sesenta y nueve niñas supervivientes de Land in Blue (Rapsodia), con edades comprendidas entre ocho y trece años. Después de la grabación del reportaje para la televisión, «Cajita» es el mote que le puso Selva Sebastian a su hermana para normalizar, disminuir, una enfermedad con la que era mejor encariñarse. Hay una grabación del bautismo: «Te llamarás Cajita». El dron ha encontrado la grabación en su data base. «Te llamarás Cajita.» No dice «Te llamaré»: esa opción habría sido menos autoritaria. El dron Cucú gallina empolla las formas de modalización discursiva, lo general y lo particular, los diminutivos cariñosos.

Y ahí está el dron. A la intemperie.

Tina, alias Cajita, abre la ventana e invita a pasar a la máquina voladora, que entra, con su ruido de abejorro atenuado, y aterriza suavemente sobre el asiento del sofá. Ella cierra la ventana y vuelve corriendo a su sitio con pasos cortos dentro de las zapatillas de pompones. Se sienta. Su mano mágica se posa sobre la carrocería del artefacto. El dron, caballo loco, relincharía de satisfacción si no fuese porque Giordana Bruna lo abduce y seduce como femenil serpiente, madura meretriz, cortesana intelectual que deslumbra a un joven pupilo.

Las huellas dactilares de Cajita dejan una marca sobre la piel deslizante, impermeable como pluma, del dron. Las huellas dactilares de Cristina Romanescu sobre la pulimentada carcasa del dron joven podrían costarle a Cucú una punitiva metamorfosis en hormonada pechuga de pollo.

Por descuidado y abusador. Por indiscreto y sacrílego.

Menos mal que los ventrílocuos andan ocupados cerrando negocios con Tote Seisdedos.

Persianas metálicas bajan de golpe.

Parte meteorológico: «Hoy no llueve y mañana tampoco lloverá».

Catálogos de centauros, ortopedias y otras variantes machihembradas de la ferretería

«Ay, Juanita, no. Que yo no quiero ir a trabajar», el viejo se suena los mocos y se agarra a la barandilla mientras su esposa desaferra los deditos sarmentosos uno a uno. «Ay, que no, Juanita, no. Pero qué desgracia, Virgen Santa, qué desgracia», murmura el viejo enfundado en su mono azul mecánico mientras, por fin, baja lentamente, uno a uno, los peldaños. Los deditos. Los peldaños. Son las siete de la mañana y la escena se repite un día, dos días, tres días, todos los días.

«Incorpora...»

El viejo del mono azul es un trabajador esencial que le mete una patada al árbol altavoz a través del que se emiten los masajeadores mensajes de Bibi. Obsolescencia se siente como ese anciano que encoge el corazón de Blandinblú desde que salió en el mismo noticiero que Tina Romanescu. «Me he vuelto un poquito antisocial», dice llevándose la mano a la boquita para esconder los hipidos que le produce el Licor 43. El ingeniero jefe no puede emitir marchas militares y publicidad a todas horas. El ingeniero jefe no tiene un pelo de tonto, aunque sea casi tan guarro como el dron chucho, que, pese a que se le saltan las lágrimas de perro cocodrilo cada vez que oye eso de «Ay, Juanita, que no...», hace tiempo que perdió toda esperanza en la posibilidad de cambiar las cosas.

Obsolescencia es un dron de mala clase sumido en el desencanto que hoy vuelve a mover el rabito y se olvida, momentáneamente, de su caducidad de cartón de leche gracias a la energética hermosura nuclear de Selva Sebastian. Un dron viejo verde, un romántico, un dron vampiro que aspira a retrasar su desguace gracias a los oxigenados glóbulos de una bella juventud. No, nunca lo reconocería ante los muchachos del hangar. Ni con el dron lesbiana de mayor veteranía, mítica Flor azul. En cuanto a Cucú, aún es un cachorro que aprende a desplegar sus diccionarios para graduar sus emociones. No tiene automatizados ciertos movimientos y presenta la psicomotricidad torpe, pero enérgica, de ciertos pollos aprendices. Aunque, desde un punto de vista jerárquico, Cucú ya es un dron comandante. Por su empuje y su entusiasmo ciego. Porque se cree de cabo a rabo las consignas del ingeniero jefe y sus adláteres. Porque es un cubo bocabajo y un dron bisoño que no cuestiona las órdenes, sino que las necesita para poder volar-vivir. «Un gilipollitas que acabará condecorado en un despacho.» Exceptuando el arrebato heroico de hoy, ese arrebato por el que nadie le va a pagar las horas extras, Obsolescencia suele cumplir con su horario y se va casa. Duerme entre sábanas sucias. Desayuna café solo.

No tiene ni idea de lo pronto que se va a torcer el brillante destino de Cucú.

Obsolescencia no da con el modo de trasladarle a Selva Sebastian sus averiguaciones del subsuelo. Por eso, está a punto de preparar una grabación que saldrá por la boca de un megáfono desde su pancita de dron chucho para gritarle a su amada: «Eres hermosa, Diana cazadora de transvanguardia. No pierdas el escorzo que te atiranta los músculos en la puntería. Nunca dejes de guiñar el ojo para lanzar tus tentáculos de medusa y tus cortocircuitos paralizantes. Eres la luz eléctrica. Eres el ánodo y el cátodo de mi viejo corazón».

Sin embargo, el discurso no servirá de nada. Entonces, Obsolescencia le pondrá las películas familiares extraídas del eco y del reflejo, las ondulaciones multicolores, de la corteza cerebral de Gatsby Sebastian. Ella tomará decisiones. Hará planes de futuro a largo plazo. Pero Obsolescencia tiene las horas contadas. Los motorcillos asfixiados por el exceso de humo y los vicios antiguos. No podrá montar a Selva sobre su lomo de perro volador para escapar abriendo un agujero en la estratosfera semisólida de Landinblú. Selva no será la dama cuya cabellera ígnea se enrede en su hocico de dragón. Pese a estas imágenes troqueladas, el dron pulgoso no experimenta un sentimiento platónico que le incite a buscar modos delicados, maniobras de acoplamiento y coito virtual, entradas a través de los espíritus aéreos, para copular con el cuerpo de Selva húmeda. Catálogos de centauros, ortopedias y otras variantes machihembradas de la ferretería se abren en el visor del dron. Las hojas de los muestrarios pasan a una velocidad supersónica que ilustra la medida del deseo del dron chucho, que, a su vez, recuerda cómo canes furiosos fueron estimulados por torturadores pinochetistas para penetrar a pobres mujeres democráticas. Obsolescencia siente asco de sí mismo. Es su naturaleza animal la que lo asquea, no su condición de máquina movida por un impulso eléctrico aún no extinguido. Eréctil. Viril. Como el de los personajes librescos que lo inspiran y lo dotan de un corazoncito. Los personajes librescos a veces se empalman y cometen errores por culpa del fuego de la pasión. De la tirantez de sus braguetas.

135

Los cuerpos siguen desprendiéndose de la tapia y cayendo al suelo. Las viejas auxiliares empujan sus carretillas. Selva pone cara de asco. Obsolescencia busca una solución porque, muy pronto, sonarán las alarmas del ingeniero jefe, macho heterosexual de clase A+ en el imperio, el gran follador fecundador de cada cáliz floral, pumba, pumba, polla dura e inseminación de varios óvulos simultáneamente, Landinblú es una metrópolis de hermandades clónicas y bolsas gemelares, todos los descendientes del ingeniero son calvos, con diastema, y comparten un aire de familia, son los rumores que corren, aunque nada sea seguro; pronto, pronto, el ingeniero jefe olerá el aroma desinfectante del semen ajeno y la llamada vaginal del flujo meloso: entonces, el dron chucho será sometido a una castración mecánica. Sería mejor que se tranquilizase. *Hush, hush, baby, hush.* Tranquilo, perrito, tranquilo. Nana *lullaby.* El dron chucho es de Atlantic City. Flores violeta. Filetes anestésicos para el chihuahua metálico. Copas de champán con secreto barbitúrico para el detective.

Un dron nodriza imanta a Obsolescencia. Lo pega a su costado y le inyecta un líquido violáceo. La nodriza se eleva con el dron chucho semiinconsciente y fundido a su carcasa como forúnculo o bolsa fetal.

Obsolescencia cruza los alerones sobre sus gónadas y su pilila de perro que ladra cuando le dan cuerda. El mundo gira.

Selva Sebastian apunta y dispara. Pleno. Diez sobre diez. *Twenty points. Amazing! Tasty!* Arriba y abajo. La tiradora se sujeta la muñeca, guiña un ojo, aprovecha el retroceso para tirar de los cuerpos como si estuviese pescando atunes en alta mar. Rebosa su cesta de jovencitos merluza y cualquier metáfora le sirve para no ver ni comprender lo que sucede. Tan solo siente cierto dolor en la muñeca, que ignora y acopia como venenito de avispa. Los cuerpos caen de la tapia y son arrastrados hasta los pies de Selva con sus cuerdas eléctricas. Ojos en blanco y pujos de saliva en las comisuras. Convulsiones epilépticas que los acercan cada día más al reino vegetal y la sensibilidad de las amebas. Las viejas auxiliares cargan las carretillas. Los jóvenes cuerpos caen y, si la tiradora acercase la mano y los palpara, comprobaría que su textura es la de un espantapájaros.

Hoy el regreso a casa de Selva Sebastian será difícil. No preparará su coreografía de un minuto, «Seis, siete, ocho... ¡jazzzz!», moviendo la cintura como si la parte de arriba del cuerpo se desenroscara de la parte de abajo, y las piernas danzarinas se independizasen del tronco.

Tote Seisdedos la ha estado esperando casi toda la noche en la tragaperras de la esquina, que se come las monedas del calvo absoluto al mismo ritmo compulsivo que él las introduce. Obsolescencia, fuera de juego, no podrá velar por su bella amazona de dos tetas. La distingue –la recuerda, la prevé– entre la bruma alucinógena, cubierta de una armadura de metal entretejida finamente con la piel: Selva, metamorfoseada en máquina antropomórfica, ensueño de Fritz Lang, pasión de Obsolescencia; Selva, magnífica perra afgana con el cabello al viento y las piernas patas estilizadísimas. Obsolescencia no se puede reprimir, se traga el chicle, dice:

«¡Guau!»

Y pegado a la nave nodriza pierde la consciencia completamente. Se le apagan las luces. Deja de parecerse al coche de Batman en el carrusel.

Quizá solo se puede confiar en Conchita Wurst

El sueño de la mujer madura es un diorama protegido por una luna irrompible. Se parece a los dioramas que cuentan la trágica historia de Filipinas en el Museo de Manila, límite del mundo conocido y de la Tierra plana. La Tierra se ha alisado por efecto de la amputación del coloso chino y, efectivamente, en estas condiciones viajar demasiado al Norte o demasiado al Sur, demasiado al Este o demasiado al Oeste, conlleva el riesgo de precipitarse hacia el abismo monstruoso de las escolopendras gigantes y las movedizas criaturas, blandas e informes, de H. P. Lovecraft. El ingeniero jefe consiguió que un sucedáneo geológico de Dios, estirando hacia los extremos con sus manitas, aplanase la esfera que ya no podía ser esfera ante la desaparición de un extenso fragmento de su superficie.

Con esta transformación geopolítica, astrofísica y geométrica, el ingeniero jefe, nada sensible a las pérdidas humanas —menos aún a las pérdidas humanas orientales— ni a la dilución de culturas milenarias, ha cumplido tres de sus sueños más preciosos: hacer realidad la teoría del terraplanismo, corroborar la validez premonitoria de bulos y *fake news*, y aniquilar a una legión rival de ladinos ojos atirantados a la que, por su naturaleza étnica, nunca, nunca se le ocurre nada bueno. Lo llevan en el plasma de su sangre amarilla y así lo hace constar el ingeniero en la redacción de los nuevos textos escolares telemáticamente distribuidos. Conocemos todos estos detalles porque Flor azul asistió a la conferencia de clausura que cerró el curso de formación y aleccionamiento al que son sometidos los drones todos los años. Aunque nunca se lo ganó académicamente, el ingeniero se disfrazó con toga, birrete y muceta. Como si.

Ahí justo, dentro del sueño que es como un diorama de la triste historia de las Islas Filipinas, dentro de la cabeza de la mujer madura, Cristina toca un minúsculo instrumento musical: un ukelele decorado con dibujos de flores. Rasga las cuerdas con sus uñas mordidas. Su madre teme que se haga daño. Siente el impulso de susurrar «Tina, no hagas eso». Susurraría para no alarmar a su hija pequeña, pero no va a interferir porque los dedos de Tina no son sus dedos, no quiere que su cuerpo colonice el cuerpo de su hija, y porque se da cuenta de que la nena canta con dulzura ultrasónica encandilando a su público. En torno a Tina y la fogata, bajo un cielo alanceado por la luz de estrellas y planetas luminosos que permiten asomarse al vacío exterior, Conchita Wurst con traje bávaro, el hombre forzudo y el niño de la cabeza grande siguen el compás con sus distintas tallas de pie. No muy lejos se distingue la figura de Mari y Mira, las siamesas unidas por el parietal, que protagonizan un número, cultural y etimológico, en el que explican el origen del dicho «No es lo mismo el culo que las témporas». Mari y Mira saben latín. Recitan las declinaciones. No les gusta el mismo tipo de hombre y esta discrepancia les acarrea conflictos para los que su sexólogo de cabecera no encuentra solución. Ellas insisten y una vez se llevaron a la cama al enano del diente de oro. Les fue bastante bien: el falo del enano no guardaba proporción con la longitud de su fémur ni con sus deditos cortos ni con su achatadísima nariz. «No es lo mismo el culo que las témporas.» Pero ahora Mira y Mari se acercan a la fogata, junto a la que Tina interpreta su canción acompañándose del ukelele, y se colocan al ladito de Conchita Wurst, que permite a una de las siamesas, Mari, apoyar la cabeza en su regazo mientras la cabeza de Mira se queda suspendida en el aire al

139

exceder, por su volumen, la superficie del muslo de Conchita Wurst.

Tina cuelga su voz a la melodía del ukelele: «Cada uno da lo que recibe, después recibe lo que da...». La mujer no comparte la sentencia del estribillo, le parece demasiado budista para los tiempos que corren, pero le conmueve ver a su hija pequeña entregada a la música mientras el forzudo olvida sus pesas y el niño hidrocefálico lanza señales para que se acerque la mujer de las tres tetas a la que todos llaman Arabella Santorini, *tritétida* artista de varietés. Un escultor de fuentes del Subestrato creó unos artísticos pitorros inspirándose en la *tritétida* Santorini. El fuego de la hoguera y las estrellas iluminan el espectáculo, aunque detrás de la luz solo se ubique la oscura residencia de las escolopendras gigantes. De un carromato sale una niña que se parece a Tina, aunque es más enclenque y pálida: su porfiria la condena a la nocturnidad, pero no puede resistirse a la miel del ukelele, que se trenza con la vocecita en falsete timidísimo de Tina. Ella no deja de cantar y, mientras canta, sonríe, y el maestro de ceremonias abandona el puesto de venta de entradas y también se une al alegre grupo. Se quita el sombrero de copa para escuchar respetuosamente a la microcantante, que pide con los ojos un anisete al niño de la cabeza gorda. Con el cuello vencido por el peso del encéfalo, el nene vuela en dirección al carro de la pitonisa. Allí guardan las provisiones.

«Tina...», susurra la mujer madura.

No le gusta que la niña beba, pero no quiere asustarla ni prohibirle a su hija cosas que ella hace con gran placer: fumar, restregarse contra las flores violeta, acariciar a hombres impasibles o copular con varones velocistas que, de pronto, se multiplican en pequeños conejos que reco-

140

rren los montículos de la anatomía de la mujer madura y se introducen dentro de sus madrigueras. Luego su lironcillo se adormeció y ahora quizá esté volviendo a despertarse. La mujer es tan bobita que aún cree que hay que predicar con el ejemplo y, por las circunstancias temporales de Land in Blue, que han descabalado el principio de las tres edades y hecho desaparecer el cuadro de Durero del Museo del Prado, aplica el mismo patrón antirrepresivo a nenas, viejas, mujeres menopáusicas y a esas otras mujeres en la flor de la vida, aunque la flor de la vida se sitúe en un tiempo y un espacio movedizos y polémicos. La mujer conoce la inclinación a las adicciones de su hijita, se parecen muchísimo las dos, aunque Cristina sea más fea que mamá. Salió al Romanescu mayor. La mujer se muerde la lengua porque gritar un «¡No!» y tratar a Tina como cachorro que se mea en la alfombra de la sala sería contraproducente. Sin embargo, el silencio de la mujer madura acrecienta el tamaño de su úlcera de estómago. El diorama del sueño se localiza dentro de la caja craneana de la mujer madura, pero ella no puede hacer nada: la mampara antibalas imposibilita que la reconvención de mamá alcance los oídos de la joven cantante borracha. Tina ha crecido atendiendo a las reconvenciones de Selva. La mujer no quiere reflexionar ahora sobre esa conducta, propia de un agrupamiento familiar disfuncional, y se escapa pensando que ha de poner una reclamación al ingeniero jefe por no permitir que las personas posean sus sueños y puedan decidir el curso que toman los acontecimientos en su interior onírico.

Flor azul apunta, aunque sabe que el ingeniero jefe, apelando a defectos de forma u otras insuficiencias burocráticas, se limpiará el ojete con una reclamación de esas características.

Después de beber un sorbo de anís, la voz de Cristina se rasga, pierde metal y gana en calidez. A Conchita Wurst se le caen las lágrimas porque algo la conecta con la interpretación de la niña, que canta sin dejar de sonreír, moviendo su cabecita de un lado a otro. Conchita repara en las siamesas y cambia el cráneo de Mari por el de Mira, que, ahora, cierra los ojos y descansa. Es tan dulce el ukelele.

La escena, clausurada en la urna del diorama, no permite a la mujer madura olisquear los colinabos que se cuecen en una marmita ni el aroma que desprende la grasa goteante de las salchichas asadas en la fogata. El círculo de carromatos es uterino e íntimo. La mujer madura no puede tocar ni colocarle un mechón detrás de la oreja a Tina. La imagen del diorama, en tres dimensiones por dentro, plano por fuera, como la Tierra y el cerebro del ingeniero jefe –Flor sonríe con un poco de maldad–, adquiere una tonalidad plateada. La mujer madura tendría que estar ahí. Golpea el cristal. Abandona la cautela y le da igual hacer muchísimo ruido, aunque su propio estruendo pueda despertarla. Pero no puede entrar, porque Tina y sus amigos están dentro de una pecera. Son estampa. Acaso una proyección de una velada que sucede en otro sitio. Hologramas que andarán por otra parte. Alguno debería lucir un chalequito corto y un pañuelo en la cabeza, un pendiente de aro. Esta nueva familia es claramente zíngara.

La mujer ha de encontrar esta caravana. Localizar el terreno donde acampan, ese lugar real, definido por los agrimensores y frecuentado por los paseantes de perros, que queda fuera de la cabeza de la mujer madura. Ella no intervendría si, dentro de la esfera de felicidad en la que está encerrada su niña pequeña, no hubiera percibido algo extraño y disonante. Una pieza que no encaja y provoca la diabólica torcedura de todas las demás. Todos quieren a

Tina. Pero algo no va bien. Una sombra detrás del carromato del hombre bala. La ausencia del lanzador de cuchillos. El espacio demasiado grande que ocupa la luna en el cielo. El desprendimiento de la cabeza de Mari hacia el barro y la dilatación de su cuello como serpiente, solitaria, que se acerca hacia la falda de flores de la cantante y se va a colar entre sus piernecitas.

«¡Tina!»

Ese grito no es propio de la mujer madura. El maestro de ceremonias se calienta la mano en un cubo de mierda. La calidad del anís es deplorable y su etiqueta, espantosa: un simio antropomorfo con la cara de Darwin agarra una botella. El ceño del mono evolucionista nos lleva a imaginar malsanas intenciones. La muchacha pálida se está comiendo un hígado.

Quizá solo se puede confiar en Conchita Wurst.

La mujer madura no encuentra el origen, la causa última de todos estos desajustes, que también afecta a Tina: la melodía del ukelele se ha invertido y su dulce hija está cantando la letra al revés «... ad euq ol ebicer seupsed». *Pavososo*. No, no *pavososo*. Pavoroso. Las palabras contra la luna de un espejito, contra la mampara del diorama que la aísla de su madre, conforman una simetría siniestra: «... ad euq ol ebicer seupsed después recibe lo que da...». Parecen Mira y Mari, los títulos de crédito de una película de James Bond: cuerpos de mujeres desnudas se unen por la espalda como alas de mariposa. A Tina mientras canta le falta el aire y la cara se le está poniendo negra.

«¡Tina!»

La mujer madura no acaba de despertar. A su lado, el hombre de las medicinas duerme con impasible placidez de recién estrenado comedor de flores. O quizá la mujer tenga efectos letárgicos sobre sus amantes. Va siempre hasta las cejas y puede que la lubricación vaginal funcione como un pinchazo de heroína. O quizá el hombre necesite descansar. Acopiar fuerzas.

Flor azul conecta la televisión para salvar a la durmiente. Teme que la mujer madura sufra un ictus o entre en un definitivo estado comatoso. Rebusca bajo su poncho el rollo de la serie de más impacto en Land in Blue. Coloca la bobina en el proyector y sube el volumen hasta niveles capaces de sofocar el estruendo de las persianas metálicas que bajan de golpe. Es el futuro.

Flor azul confía en el despertar.

Tortolito

Junto a la hospitalaria Cajita, Cucú, aterrizado sobre el sofá como un juguete, mira la televisión. No ha sintonizado el canal de la serie de máxima audiencia, convocada por Flor azul, sino que sigue prendido a los programas marginales del mundo de Tina Romanescu. Espera que los programas sean marginales, pero no subversivos. Giordana Bruna no puede ser subversiva. Giordana Bruna es una diosa que nunca ardería en pira inquisitorial.

Cucú ve la tele desde demasiado cerca. Pronto habrá que ponerle gafas igual que a esos niños que hace años se olvidaban de todo mientras veían *Mazinger Zeta* o *Espacio: 1999*. Cucú, más evolucionado que Mazinger –no necesita que nadie lo tripule–, ve bien, pero anhela traspasar el cristal que lo mantiene alejado de Giordana Bruna. Quisiera penetrar en la pantalla. Demoler con su piqueta, incorporada a sus demás utilidades de navaja suiza, el muro que separa a Píramo de Tisbé. Cucú es un dron pop que, con soltura, funde en sus memorias USB y en sus copias en la

144

nube fragmentos culturales de diversa naturaleza y origen. *Tin, tin, tin.* El dron, embebido en sus conatos de pensamiento y sus intertextualidades, no oye cómo se alejan unas zapatillas de tacón con rosados pompones. Tampoco siente el enfriamiento de las resistencias de la estufa que Cajita ha desconectado. Religiosamente, en un estado parecido al trance, Cucú ve a oscuras *La verdad de Giordana*.

Algo le dice a Cucú que su fantasía se haría añicos si entrara en el jardín sagrado del aparato de televisión. La invasión de Polonia. Los siete años de mala suerte multiplicados por otros siete años de mala suerte más, porque la tele no es un espejo, sino algo más profundo. Televisión no es solo un artefacto tecnológico. Televisión es luz. Cucú escarba en su tesauro para entender el concepto. Rayar, rajar o romper la pantalla sería un delito más grave que atascar las tragaperras de las esquinas o pegar carteles incendiarios contra las persianas metálicas de los establecimientos, que, al caer, emiten el sonido del futuro.

De camino a casa de Selva Sebastian, Cucú detectó un comando de ancianos con un cubo de cola y una brocha. Lo dejó pasar porque los prometedores comandantes del escuadrón de drones pueden permitirse, de vez en cuando, un acto magnánimo.

Cucú está seguro de que este tipo de gestos, estas pequeñas rebeldías compasivas, estas debilidades que no implican dejadez o ineficiencia, pero hablan de la calidad moral, incluso humana, de los defensores de la patria Land in Blue (Rapsodia, S. L.), son muy del gusto del ingeniero jefe. Cucú ya se ve condecorado. También detectó a lo largo del trayecto uno, dos, tres ventrílocuos que bajaban al Subestrato con pagarés y cédulas fiduciarias. Aunque ahora nada de eso importa.

Nada.

De eso.

Importa.

El dron golondrina ha bloqueado sus bases de datos desplegables y se concentra en Giordana Bruna. Giordana planea por el estudio. Es etérea. Es ruido blanco y oxígeno. Su sustancia no adquiere una forma que la modifique o le dé sentido. Fluctúa. Es una energía capaz de penetrar en las zonas más recónditas de las emociones humanas. Es el alma del concurso y Cucú intuye que también es el alma de Land in Blue, muy superior a su preceptora en retórica y poética, la primitiva Flor azul; Giordana será una asesora del ingeniero jefe, una musa inteligente y polimórfica que puede concretarse en curva, recta, criatura en transición, sirena o Carroll Baker, la actriz de *Horizontes de grandeza* y *La conquista del Oeste*, westerns que Cucú consume mientras patrulla los cielos de Land in Blue. Al fin y al cabo, el dron prometedor comandante no consigue romper las amarras que lo unen a los esquemas heteropatriarcales con que lo ha diseñado el ingeniero jefe y quiere formar una familia. Habitarían en una cabaña allá donde el río brota de un alegre manantial y forma un ubérrimo valle que rompe las montañas donde anidan las águilas. Él cazaría, y Giordana, Giordana es tan sensacional que podría ser quien ella deseara. Cucú no se interpondría, aunque conoce al dedillo las leyes que lo amparan en el caso de que Giordana Bruna se encabrite y el enamorado dron se vea obligado a lesionarla. Desmontarla. Descuajeringarla. Pero él nunca haría eso. Ni le pondría delantal, porque lo importante de Giordana Bruna es su inteligencia limpia. Su precisión psicológica. Su capacidad para definir sentimientos que ella no experimenta. O quizá sí los experimenta y esa posibilidad, a la que Cucú secretamente aspira, es fascinante. Como al hombre de lata, a Cucú también le gustaría tener un corazón.

Los espantapájaros, con o sin cerebro, lógicamente lo aterrorizan. *Pío. Tralarí. Cu-cú.*

El ingeniero jefe concede corazones como premio a los objetos volantes más valerosos y leales. Cucú reproduce el relincho de su caballo, que alza las patas delanteras mientras él lo doma. Los drones sin ímpetu ni ilusión, los drones apagaditos, deben comprar su corazón en los mostradores de las carnicerías y embutírselo bajo las hélices con mucho cuidado de no triturarlo. Las vísceras y otros productos de casquería están a precios privativos al lado de las criadillas que algunos drones adquieren como complemento de ortopedia sexual. *Rissss*, escucha Cucú. *Rissss.* Pero como no quiere que nada lo distraiga, desatiende sus sensores acústicos y sube el volumen de la televisión. El dron Cucú es un tortolito.

El concursante mira hacia un punto, y una representación esquemática de su rostro y de su cráneo se proyecta contra una pantalla dentro de esa otra pantalla que tanto le gustaría atravesar a Cucú. El concursante, apresado dentro de la jaula de su cabeza geométrica –cada arista es un barrote y cada intersección un nudo–, espera a que se le formule una pregunta:

«¿Quiso usted verdaderamente a su madre?»

Rissssssssss. El concursante no duda:

«Mi madre era una santa».

El presentador, espoleado por Giordana, no se deja embaucar:

«No le hemos preguntado eso.»

El concursante se mira las piernas y el gesto de agachar la cabeza le es reconvenido:

«Nadie le ha dado autorización para moverse. Mire al punto. No se mueva. No hable. Midiendo su peso. Midiendo su estatura. Calculando su índice de masa corporal.»

El pinganillo del presentador se ha visto alterado por una interferencia y todos ríen. Se mean. No pueden parar. *Clac, clac, clac,* el dron Cucú oye, pero no escucha. Amortigua el sonido ambiente e introduce su trompetilla en los altavoces de la televisión. Es una manera original de usar los auriculares para aislarse.

Clic clac es una onomatopeya de resbalón cerrado que no perturba los receptores de Cucú.

El presentador repite la pregunta:

«¿Quiso usted verdaderamente a su madre?»

El concursante dice:

«Más que a nadie en este mundo.»

La contundencia no engaña a Giordana Bruna, que, conectada a través de otro cable pinganillo con el tímpano del presentador –la cabeza del presentador está recorrida por un sofisticado sistema de cables–, se muestra perspicaz:

«Es posible que usted no haya querido nunca a nadie, de modo que da exactamente lo mismo que su madre sea su ser más preciado en este mundo.»

El concursante suda copiosamente; así representa Cucú con palabras la imagen del hombre empapado, con cercos de sudor en las axilas y pelo húmedo. «Suda copiosamente», busca Cucú, y halla: solidaridad léxica o tópico escamoteable en el lenguaje literario. Se puede sudar copiosamente en el invernadero, pero no en la página.

El concursante suda copiosamente, pero no se levanta de la silla. Le han prometido unas monedas que después podrá introducir, a la búsqueda de la combinación perfecta, sandía, sandía, sandía, lingote, lingote, lingote, zafiro, zafiro, zafiro, en las máquinas tragaperras de la primera esquina en la que pueda caerse muerto. El concursante, por fin, osa:

«No, no la quería.»

Entonces, como llegada de ultratumba, la voz distorsionada de Giordana da la orden:

«¡Vectorización!»

Las líneas y ángulos, que esquematizan y enjaulan el cráneo del concursante, vibran y se tensan, suben de color, mientras una franja roja de luz recorre su rostro. Lo escanea. Se le mete dentro. Cucú, conectado con la intranet de Land in Blue, se asusta, pero conserva la calma como perfecto comandante al mando y coronel del séptimo de caballería: Giordana ha detectado un tumor en el tronco cerebral del concursante. Pero Giordana da veredictos, no diagnósticos.

«¡Verdad!»

Sin embargo, lo que encandila a Cucú es lo que viene después. El presentador descubre que el concursante ha dicho la verdad, atenazado por los siguientes sentimientos: rabia, miedo, vergüenza, desconfianza, ira, culpa, dolor. Giordana Bruna es una máquina preparada para descubrir las emociones y amplificarlas desde una gota de sudor, un achicamiento de la pupila, la caída de un folículo piloso del cuero cabelludo, la repentina aparición de una cana, una palpitación arrítmica, el chispazo que conecta la sinapsis 123456 con la sinapsis 654321.

El dron Cucú hace destellar sus faros frontales y gira sus visores para compartir con Cajita su admiración.

Pero hace rato que ella levantó su dedo de la carcasa de Cucú.

Hace rato que Cucú ha sido encerrado, *clic clac*, dentro de una sala que extrañamente puede cerrarse con llave.

Cajita la ha echado por fuera. Ella ya está en otra parte. *Shiiiiiiiiiiiiiiiiiiiiiiiiiiiiiiiiiiiii.*

Vieja

La moscarda que revolotea se transforma en metonimia: es uno de los ocelos de su ojo y, dentro del ocelo, se dibuja el perfil de la escritora, a la que le brota, como si un practicante matusalén le hubiera inyectado contraste subcutáneo fosforito, una palabra en la frente. El título «Vieja» se amplía mientras aparece la sobreimpresión «Género histórico. Capítulo de época», que pone de manifiesto la falta de confianza de los guionistas en la inteligencia del espectador medio de Land in Blue (Rapsodia, S. L.). Se oye una voz en off femenina, posiblemente de Bibi, casi idéntica a la que proporciona información acústica en las cintas teletransportadoras: «Manténgase pegado a la derecha», «No toque la cinta si no lleva guantes», «No escuche conversaciones de los demás, aunque los demás se empeñen en que usted lo haga: sea fuerte, sea sorda», «Use sus *in ears* y sus auriculares de cuero», «Vigile sus pertenencias en todo momento...». Como voz en off de la serie, Bibi usa un tono más conmovedor: «Viejos abandonados en gasolineras, ancianas emparedadas en sus casas para prolongar el cobro de la pensión –Land in Blue negra, se tizna–, nonagenarias maltratadas, desprestigio de auxiliares y profesionales del gremio, y, a la inversa, abuelas que vuelven locas a las hijas que las amparan en sus hogares, tiranías, el reverso oscuro de los cuidados...».

Antes de acabar la frase, la frente de la escritora ha desaparecido y entramos en el jardín de una residencia geriátrica. Una mujer, en torno a los cincuenta, acude a visitar a su madre, que espera en mitad de un huerto rodeado de montañas. Hace sol. Lo bucólico poco a poco se va matizando con la aparición de ancianas sentadas a la sombra en sus sillas de ruedas. Toman vasitos de zumo y gelatinas que les dan las cuidadoras. Algunas viejecitas llenan con color perfiles vacíos y riñen por las ceras, de punta inofensiva. Se miran de reojo. La mujer se acerca a una de estas mesas de dibujo. Imagina a su madre con un afiladísimo lapicero clavado en el ojo. Inmediatamente deja de imaginar.

MUJER: ¿Mamá? (La madre anciana no levanta la vista de sus trabajos con las ceras, la mujer le pone la mano en el hombro.) ¿Mamá? (La madre levanta la cabeza, no reconoce, mira más allá, vuelve a mirar a la mujer que la llama «mamá», sonríe...)

ANCIANA 1: Estamos pintando. (Las dos mujeres se besan.)

MUJER: ¿Cómo estás hoy, mamá?

ANCIANA 2: Está muy bien. Estupendamente. (La madre anciana asiente y sigue pintando. La anciana 2 se acerca a la mujer y le da dos besos.) Encantada de conocerla.

MUJER: Encantada.

ANCIANA 2: ¿Seguro que no nos habíamos visto antes?

MUJER: No sé, puede ser. (La mujer no le quita ojo a su madre, que se aferra a su bolso, un bolso vacío, como si alguien se lo fuera a quitar.) Mamá, deja el bolso.

ANCIANA 1: Es que no tengo dinero. ¿Dónde está mi dinero?

MUJER: Aquí no te hace falta, mamá. (La madre la mira con desconfianza.) No te preocupes, está todo pagado.

ANCIANA 2: Es que está muy bien, pero también está muy mal, la pobre. Tu madre, digo. Entonces, ¿nos hemos visto antes? Yo creo que estás un poco más gorda...

ANCIANA 1 (se ríe): Sí, está como una vaca. ¡Y más vieja! Es mi hermana...

151

MUJER: No, mamá. No soy tu hermana. (La madre mira a la hija como si la hija estuviese loca. La madre vuelve a aferrarse al bolso.)

ANCIANA 1: ¿Y por qué yo no oigo, eh? ¿Por qué?

ANCIANA 2: Está fatal. Como le dé por ahí...

ANCIANA 1: ¿Y por qué yo no oigo? ¿Es que me voy a quedar así para siempre o qué?

MUJER: A ver, mamá, a ver si llevas bien ajustado el aparato...

ANCIANA 1: Es que no te oigo, pero nada nada. (Enfadadísima).

ANCIANA 2 (en confianza, a la hija cincuentona): Si es que ese aparato ya no le sirve...

MUJER: Ya, ya. (Manipulando el aparato.) ¿A que ahora oyes mejor, mamá?

ANCIANA 1: Estupendamente.

ANCIANA 3 (se pone a cantar cada vez más fuerte...): Pintor que pintas iglesias...

ANCIANA 2: Cállate, tú. Pinta, pinta. Que te van a regañar. Anda, guapa, pinta. (Mirando a la mujer.) Como le dé por ahí...

ANCIANA 1 (se parte de risa).

ANCIANA 3 (crecida por la risa): ... ¡De pintar un ángel neeeeeegrooooo!

(Todas las mujeres se tapan los oídos.)

ANCIANA 3 (se levanta): Os vais a enterar. (Agarrada al borde de la mesa, a voz en grito.) ¡Pintoooooooorrrr!

ANCIANA 2: Calla, siéntate, duérmete un poquito, anda. (Tira de la anciana 3 hacia la silla.)

ANCIANA 3: No tengo sueño. (Inmediatamente apoya la frente sobre la mesa y se queda traspuesta.)

MUJER: Mamá, ¿quieres un zumo?

ANCIANA 1: No tengo dinero. (Manosea el bolso.)

152

ANCIANA 2: Que te ha dicho tu hija que aquí lo tienes to pagao...

ANCIANA 1: ¡Ay, es verdad!

ANCIANA 2 (condescendiente): Es que eres más pesada...

MUJER: Pero ¿quieres un zumo? Toma, toma un zumo. (Coge un zumo que le tiende una cuidadora.)

ANCIANA 1 (a la cuidadora): ¿Qué le debo?

CUIDADORA: Nada, ya está pagado, tranquila.

(La madre toma el zumo y mientras bebe la anciana 3 despierta.)

ANCIANA 3 (a voz en grito): ¡Que pintas con amorrrrrr!

(La madre ríe como una niña, casi se atraganta con el zumo...)

ANCIANA 4 (enfadadísima): ¡Pero te puedes callar de una vez! Aquí es que no se puede ni pintar ni estar tranquila ni hacer nada con las locas estas... (Mira con odio a las otras tres ancianas.)

ANCIANA 2: ¿Ves? Ya se ha enfadado...

ANCIANA 3 (se levanta y canta a voz en grito): De pintar un ángel negrooooooooo.

(La madre ríe.)

ANCIANA 4 (se levanta, se apoya en la mesa, adelanta el cuerpo amenazante): ¿A que te suelto una hostia?

MUJER: ¡Cuidadora! (La cuidadora llega y sienta a la anciana 4.) Vaya lengua que tiene la señora...

CUIDADORA (confidencial): Será una bajada de potasio.

MUJER: Ah.

ANCIANA 4: Sois unas locas. Os tendrían que encerrar. No sé cómo os dejan estar aquí con todo el mundo...

CUIDADORA (dirigiéndose a la anciana 4): Toma, Anabel, no te enfades, venga, toma que se te han caído los papeles. (Le da unos papeles para pintar que se le habían caído al suelo.)

ANCIANA 4: Un día me voy a cagar en to. (Se concentra en sus papeles y pinta fuerte.) ¡Y te voy a dar una hostia que te vas a enterar! (La anciana 3 mira a la anciana 4, sonríe, apoya la cabeza sobre la mesa, se duerme...)

MUJER: Vamos, mamá, ven. Que te acompaño a la pelu. (La mujer ayuda a su madre a levantarse...)

ANCIANA 1: No tengo dinero...

ANCIANA 2: ¡Que ya te ha dicho la chica que no te hace falta!

ANCIANA 1: Pues qué bien. (Se levanta y se va con la hija. La anciana 4 deja de pintar y las mira con mucho odio mientras se alejan. La anciana 3 despierta y está a punto de ponerse a cantar cuando la anciana 2 le tapa la boca con la mano.)

ANCIANA 2: ¿Por qué no te duermes un poquito? Venga, guapa, que se va a liar, mejor duérmete, ¿vale?

ANCIANA 3: No tengo sueño. (Apoya la cabeza en la mesa lentamente, se duerme...)

ANCIANA 2 (acaricia la cabeza de la anciana 3): Así, dormidita, ¿ves qué bien?

La madre y la hija caminan por el jardín sorteando las sillas de ruedas de ancianas más o menos despiertas, más o menos lúcidas. El interior del centro es igual: muchas viejas recostadas en sillones dormitan. Hay una televisión encendida. Al fondo, una monitora lleva a cabo una actividad. La monitora está en medio de un círculo de residentes.

MONITORA: A ver, ¡ciudades que empiecen por la A!

(Las viejas gritan por turnos: Almería, Amberes, Alicante, Alcorcón, Austria...)

MONITORA: ¿Austria?

MUJER (le dice bajito a su madre): Austria no. Austria es un país, mamá.

ANCIANA 1: Pero qué lista has sido siempre, Mari Loli...

MUJER: No soy tu hermana, mamá.

ANCIANA 1: Ya. (La madre mira a la hija como si la hija fuese boba. Con escepticismo.) Solete.

(Las mujeres entran en una habitación: es la peluquería.)

MUJER (dirigiéndose a la peluquera): ¿La puedes coger ahora?

PELUQUERA: Claro. A ver, Lili, súbete al sillón que te pongo la batita...

ANCIANA 1 (a su hija, bajito): No llevo dinero...

PELUQUERA: No importa. No se preocupe. Hoy la invito yo... (Guiña el ojo a la mujer.) A ver, ¿cómo lo quiere?

ANCIANA 1: Súbemelo mucho. Que soy bajita.

(La peluquera le carda el pelo.)

PELUQUERA: Va a parecer usted Alaska.

ANCIANA 1: Eso no es una ciudad.

PELUQUERA: ¿Qué dice?

ANCIANA 1: Que me lo subas más. Más. ¿Es que estás sorda? ¡Que soy bajita!

MUJER (se acerca a su madre, le besa la mejilla mientras la peinan, le da unas monedas): Toma, para que le des la propina a la peluquera...

ANCIANA 1: ¿A esta? (Mira con desdén a la peluquera.)

MUJER: Sí.

ANCIANA: Vale.

MUJER: Adiós, mamá.

ANCIANA: Solete. (Besa la mano de la hija.)

La mujer se da la vuelta y sale del centro con paso decidido. Suena estruendosamente «Angelitos negros» mientras la cámara se aleja con un plano cenital de la mujer que se marcha del geriátrico. Funde a negro dentro del ojo de una mosca que revolotea por el lugar y, desde el ojo, volvemos al punto de partida: la habitación de la escritora, que coge el insecticida, apunta, dispara, pulveriza, extermina a la mosca moscarda...

El ventrílocuo del tiempo da el parte: «Hoy no llueve y mañana tampoco lloverá».

Flor azul discurre: la tele nostalgia está de moda porque los cambios se produjeron demasiado rápidamente. De la mañana a la noche, las pistas de hielo se llenaron de cadáveres, bombardearon China con una coartada filantrópica –en el Lejano Oriente se habían diseñado los virus puñal y se modificaba genéticamente a las niñas– y la vida siguió como si nada hubiera sucedido. El género humano se enorgulleció de su resiliencia. Cómo se empoderan los seres humanos cuando encajan un golpe y siguen su camino, cuando se levantan y caen y se vuelven a levantar, y así sucesivamente hasta que comienzan a cantar: «Desde chiquitita me quedé, me quedé, algo resentida de este pie, de este pie». Pero todas las heridas estaban ahí: la infancia encerrada, la juventud ausente, el precio de los limpiahogares generales, los mendigos evangélicos, los talleres clandestinos de ropita de muñeca... Y solo la tele nostalgia funciona como bálsamo. Todo el mundo quiere caminar hacia atrás y nadie hacia delante.

Flor azul percibe ese movimiento como metáfora de muerte y nacimiento inverso. Pero justo ahí detiene la ruedecilla de sus reflexiones porque nota cómo la mujer madura solapa su sueño con las voces del capítulo y, afiebrada, en su duermevela, aprieta fuertemente la mano del hombre de las medicinas. La historia de esta madre le provoca envidia. Ella nunca podría ocupar el lugar de esa vieja. Por mucho que trabaje para ganarse una tranquilizadora demencia senil, ninguna de sus hijas irá a visitarla ni la llevará a la peluquería para que alguien retinte su caracoleada cabellera verde.

«Tina no, no, no vendrá.»

La mujer madura cierra los ojos y entre las rendijas de los párpados se le escapan las lágrimas.

«A Tina no la dejarán venir.»

«No podrá.»

Flor azul constata que la emisión del capítulo no ha sacado a la mujer madura de su pesadilla ni de su encantamiento. Incluso ha agravado más la situación. Para secar su mar de lágrimas, le arroja sobre la coronilla un paquete de kleenex, pero la mujer no se da cuenta: es la única habitante de Land in Blue que aún cree que está tecnológicamente sola, incluso descuidada, pese a la compañía de Bibi y la existencia, para ella imperceptible, de Flor azul. La mujer madura incluso empieza a sentirse reconfortada por la presencia del hombre, cuyo apellido ignora. Le estruja la mano. Para que no se escape. Se adormece otra vez contra el pecho masculino. Tina. Tina.

«Tina no irá a visitarme.»

Se bajan de golpe todas las persianas metálicas de los comercios de Land in Blue. Percusión. Es el futuro. Pero ni el estruendo de la banda sonora de esta metrópolis, país, continente, mundo logra despegar de su desesperado letargo a la mujer madura. El hombre tampoco espabila.

Son opiómanos tendidos sobre las alfombrillas de un fumadero.

Obsolescencia, espectador de una serie inteligente-
mente concebida para drones, criaturas intermedias y humanas, lloraría si pudiese. Redacta, tecleando en su Underwood, un memorando para que lo desguacen antes de
encontrarse en una situación como la que acaba de pre-
senciar. Prefiere morir con las botas puestas. No pide nada
más. Obsolescencia supera pronto la ilusión de las ficciones: hace tiempo que las cosas ya no son así. Él ha visto
con sus propias cámaras los cuerpos que reptan por la tapia oscura, repentinamente iluminada, y ha comprobado
las edades de los escapistas a los que se alimenta con gelatinas color flúor y sopitas de leche. Todo, absolutamente
todo, es susceptible de empeoramiento.

Comprueba la validez de la máxima pesimista cuando
se percata de que permanece encadenado a la pared de
una nave y alguien se le acerca empuñando un destornillador, un martillo y varios cables succionadores. Ya no sabe
si de verdad prefiere que lo desguacen antes de disfrutar
de un retiro dorado. Obsolescencia ha sido siempre un
dron veleta al que, más allá del espejismo épico-romántico
que vive por culpa de Selva Sebastian y la sentimentalidad
de baratillo del programador, lo que le interesa realmente
es salvar su culo. Yo, mí, me, conmigo. Aunque esos
cuentos no son más que la fachada dura del dron idealista
que el ingeniero jefe ha calcado de tres filmes de Hum-
phrey Bogart. Vio solo tres porque le aburrían. El blanco
y negro al ingeniero jefe le parece una abominación.

Obsolescencia, como buen individuo de inteligencia
diferida que busca sin saberlo su existencia emancipada,
ignora quién es, a qué especie pertenece o qué morfología
emula, y ahora vuelve a ser un viejo verde que moja sus

sabanitas de hilo. Al dron huelebraguetas, egoísta y pródigo, desencantado y héroe, se le empalman los cables como a los ahorcados antes de espicharla. El sueño húmedo de Obsolescencia quizá también antecede a la agonía: Selva, completamente blanca y desnuda, monta a horcajadas sobre la carrocería oscura de Obsolescencia y, lentamente, la carne de la humana se funde con la aleación metálica del dron. *Fushhhhh.* Hierros candentes y agua fría. Vidrio soplado. Selva metamorfoseada en su mascarón de proa. En su Victoria de Samotracia. El pecho desnudo apunta hacia la estratosfera y la mandíbula se alza con soberbia y con placer. Porque Selva Sebastian, a diferencia de Victoria, conserva aún la cabeza. Obsolescencia, embellecido por la mujer metalizada, sensible por las nuevas terminaciones nerviosas incorporadas a sus chispas, surcará los cielos de Landinblú en perpetua fornicación. Nada será para él lo suficientemente difícil. Nada lo arredrará porque Selva le concede la vida eterna y le aporta un complemento vitamínico de heroicidad.

La naturaleza de Obsolescencia se ha de emparentar con el derretimiento del soldadito de plomo más que con la preciosa coreografía (vídeo), *An Understanding of Control*, de Alicia Kopf.

Obsolescencia jadea. No nota las manipulaciones del mecánico en su panza. Su operación de apendicitis. Las extracciones. El mecánico –uno muy distinto al viejo del mono azul– empuña cables y destornilladores, y ha debido de inocularle al dron un lubricante de efectos anestésicos para que no sienta la pérdida de una pieza fundacional.

El dron castrado despierta.

«Abelardo, Eloísa...»

Cucú y Obsolescencia cursaron las mismas asignaturas en la escuela de formación: Parejas célebres. El dron *castrato*, más obsolescente que nunca, sigue amarrado a la pared del hangar, pero ahora su panza casi toca el suelo. Le faltan cosas. Es un vencejo caído que no podrá echar a volar si alguien no le da impulso. Pero no, él no es el engreído Cucú: no piensa autodestruirse mientras se autorrealiza. BCH *dixit* y, piense lo que piense el cabronazo castrador del ingeniero jefe de los hombres de ojos rasgados, BCH tiene razón. A veces Flor azul le remite a una fuente interesante. Él no sabe quién es ni a qué especie pertenece, pero su naturaleza no es ornitológica. Es un perro sin alas. Tampoco los drones tienen alas, pero son lo más parecido que tenemos a los ángeles que vuelan sobre el cielo del Berlín.

No puede moverse, pero en su pantalla ve, entre los rayajos del plástico protector de su cuadro de mandos, cómo Selva Sebastian sale de Los rosales aromáticos y se acerca a Tote, que acaba de perder su última moneda en la tragaperras de la esquina. Él aguarda sonriente y ella se muerde el labio inferior. Van a encontrarse. Se relamen. Se circundan. Se buscan. Van a follar de inmediato.

El dron chucho, a través de su telepantalla conectada con la pulga-cámara que dejó caer inadvertidamente sobre la cabellera de Selva Sebastian, se ofusca. Lo solivianta una emoción mucho más agria que los celos: Tote lleva en un bolsillo el cuaderno en el que apunta sus haberes y sus debes. También guarda un retrato analógico de sus hijos calvos con un subepígrafe que reza: «Papá, no corras». El novio de Selva Sebastian es otro de esos peligrosos sentimentales que hacen negocios y carecen de escrúpulos. Guarda un documento firmado por él mismo, Mefistófeles y los simpáticos hampones de la Torre de los siete jorobados. Un ventrílocuo actuó como testigo del acuerdo y la transacción. Seisdedos va a vender un artículo robado a

160

los simpáticos hampones. Para saldar sus deudas, va a vender a Selva Sebastian sin que Obsolescencia pueda hacer nada por evitarlo.

Seisdedos, ser del purgatorio, visitante intermitente del Subestrato, recadero fino, ciudadano al fin de la corteza de Land in Blue, un tipo que se cree más de lo que es, no quiere ponerse el mono azul: los años pasan y su cabeza en perfecto estado de revista, gracias a los cálculos del dominó y el póquer, gracias a las circunvoluciones de una pícara delincuencia, lo condena a los talleres. O a la pajarita de esos camareros que toman nota con la caligrafía temblona del párkinson y sirven la mesa llevándose la mano a los riñones. Nada puede ser más patético, desde el punto de vista de Tote Seisdedos, que necesitará mucha pasta para cubrir las pompas fúnebres de tres hijitos que no le van a sobrevivir. El mayor, en este preciso instante, saca la mitad del cuerpo por la ventana, mientras que al pequeño el aire no termina de llegarle a los pulmones por mucho que se chute con el inhalador. «Papá, no corras.» Si pudiera, ahora mismo, Tote se sacaría del bolsillo el retrato de sus criaturas para besarlo. Pero no puede. Disimula mientras Selva se acerca con su *flow* y su *down*.

Tote esconde en su mano derecha un pañuelo empapado de cloroformo con el que, en un par de segundos, dejará atontada, borrachita, a Selva Sebastian. Entonces, sus colegas befeas le pasarán la inyección para dormir elefantes que clavará en el colodrillo de la joven. Selva no podría ser desactivada de ningún otro modo. Los befeas, después, harán un pasillo de honor hasta el acceso de la cloaca máxima. Por él, Tote caminará con su dormida princesa de tres al cuarto. La llevará como se lleva una carga delicada, sobre los brazos, o como quien se coloca un saco de patatas al hombro. Y bajará, bajará, bajará por el sistema de ascensores principales al compás de los anuncios de Bibi: «Entreplanta, planta baja, sótano 1, supersótano, sotanillo, sala de juegos».

Mientras Selva Sebastian esté dormida, y antes de ser posiblemente jibarizada, papá Gatsby dará un beso en la frente a su nena. A su crecida Shirley Temple. «Ahora te tendré mucho más cerca.» Selva Sebastian será la bailarina sobre el escenario de un cabaré Belle Époque encerrado dentro de una bola de cristal. Al girar la bola, su interior se llenará de purpurina fucsia y las faldas del cancán de Selva volarán para dejar al descubierto sus pololos. A Tote le perdonarán sus deudas y, además, le darán un plus. Selva Sebastian será puta de honor, esclava, fetiche ornamental y Perséfone sin padre ni madre.

No tendrá una granada que llevarse a los carnosos labios.

No tendrá primavera.

Y, si no fuese por el dron chucho, nadie bajaría a rescatarla.

He encontrado a Iluminada Kinski

Flor azul a veces retransmite mensajitos a Obsolescencia, el duro, para ponerle nervioso. Pero cuando comienza a recibir señales del dron sabueso se alarma muchísimo porque él no acudiría a ella si la situación no fuese muy urgente. Para él, ella no es más que un ginedrón vocinglero: no trae más que problemas a ese grupo de drones, ya casi listos para el desguace, que quiere vivir en paz y ver películas guarras rescatadas de los archivos de consumos culturales del programador. Otros solo aspiran a encontrar sitio en el aparcamiento del centro comercial de una ciudad de vacaciones.

El dron sabueso debe de andar muy preocupado para recurrir a Flor azul.

Flor azul puede ver, por cortesía de Obsolescencia, desde la cámara piojo del enmarañado pelo de Selva Sebastian, el pañuelo que se aproxima a la cara de la joven y luego distintos planos del pavimento contra el que rozan los mechones más largos de su pelo rojo. La cabellera, fuera del recogido de diestra tiradora, arrastra por el suelo. Flor azul deduce que alguien carga con la desmayada, y que el normalmente abúlico Obsolescencia, movido por uno de esos sentimientos románticos que podrían inducirle a pegar una hostia a la mujer fatal del cuento mientras le dice serenamente «Tranquilízate, estás histérica», yace atado de pies y manos. No solo metafóricamente. Flor azul comprueba la situación de los drones circulantes: el huelebraguetas está efectivamente inmovilizado, y además ha sido objeto de una castración. Flor azul lanza una señal al comandante Cucú. Pero el memo de Cucú no contesta. «Andará descubriendo el mundo como si fuese el primer día», piensa Flor azul, que comienza a temer por Tina más allá de los sueños culpables de su mamá.

Hace tiempo que Flor azul quizá debería haber emprendido estas operaciones de contacto, pero no se fiaba de la lealtad de Obsolescencia ni de la de Cucú. No calibraba el grado de abducción de los drones respecto al ingeniero jefe y sus ventrílocuos auxiliares, y tampoco quería interferir ni en el libre albedrío ni en la tranquilidad narcótica de la mujer madura. Ni siquiera quiso revelarle la identidad del hombre de las medicinas cuya ficha refulge ahora en su pantalla de ocelos sin párpado-persiana: Miki Romanescu, treinta y nueve, hombre de las medicinas, soltero, huérfano, heterosexual, limpio, omnívoro, muy alto, esquiaba cuando la nieve existía, alérgico a los esturiones. Esturiones de criadero, naturalmente.

Como ya se ha sugerido, Miki es un elemento clave en el rodaje de la película francesa, que entusiasma a Flor azul, así como en la terapia de la mujer madura. La película francesa también podría rodarla el director neoyorquino John Nicholas Cassavetes, que hizo del demonio en *La semilla del diablo*, una cinta muy del gusto de la ginedrón. En ambos proyectos simultáneos se empeña Flor azul. Pero, si la mujer madura no se anima a ordenar las piezas del puzle por sí misma, el tratamiento no habrá servido para nada y el filme quedará deslucido.

El estado de inquietud de Flor azul aumenta porque a estos hechos hay que sumar la premonición límbica del peligro por parte de la mujer madura, esos sueños sobre Conchita Wurst que no han logrado diluirse entre la amnesia, el borrado de los recuerdos traumáticos, la sustitución de la realidad por sus imágenes, la masticación de setas alucinógenas y el esnifado de estambres de flores violáceas —mayoritariamente campanillas–, las agujetas del sexo recreativo —lubricado artificialmente–, la proliferación titánica de prótesis de cadera, aparatos dentales y chapas para las lesiones del coco, así como la sofisticación de referencias que se le están yendo de las manos al bestia del programador.

No es momento de arriesgar una definición del ser humano. El peso de lo biológico, la reminiscencia neandertal, la alienación de la máquina y los discursos emancipatorios. El protagonismo de la carne. No. Tal vez, la certeza de que la especie ha evolucionado debería ser calibrada en función del desigual interés que suscitan en la mujer madura los destinos de Selva Sebastian y Cristina Romanescu. Flor azul filosofa: «Si las dos le preocupan de igual modo, una bestia amorosa e inflamada, no necesariamente buena, habita el corazón de la mujer madura». Flor azul filosofa: «Si solo le preocupa Tina, la mujer madura, sufriendo un proceso de saludable desnaturalización que funciona a su vez como mecanismo de supervivencia, ha aprendido: el corsé de su imperativo biológico no la obliga a asistir a Selva Sebastian». Flor azul filosofa: «Si solo le preocupa Selva, es que la mujer madura es una masoquista y una Venus de las Pieles». Por la trayectoria de su protegida, Flor azul no descarta la tercera hipótesis.

Flor azul se coloca en la imaginaria situación de que no existieran entre las tres mujeres vínculos umbilicales, y no se extraña al comprender que personas sin hijos ni hijas, tan solo generosas, prestarían ayuda a Selva Sebastian, a Tina, a la mujer madura, a una carretillera de ochenta años, a una ginedrón o dronesa perdida en sus elucubraciones, a un atontolinado comandante golondrino, a un pobre perro sin huevos atado con una cadena a la pared de un hangar. «Esos son los imprescindibles», remata Flor azul momentáneamente ajena a los folletines y sus variantes, infiel a ese amor por las películas francesas, que, ahora mismo, le parecen pretenciosas y lentísimas. «Esos son los imprescindibles», repite Flor azul como si fuese una máquina orgullosa de serlo. Lo imprescindible es también saber elegir. Medir las fuerzas. Establecer prioridades. Jerarquizar las luchas.

Sea como sea, Flor azul tiene que sacar de la cama a la mujer madura y a Miki Romanescu, que ni es propietario de una verdulería ni zar de una Rusia imperial que hoy renace gracias a la reposición de distintas versiones de *Anastasia* que le hacen saltar las lágrimas al ingeniero jefe porque le recuerdan a su madre: aquel mundo de Rasputines y samovares, muchachas de cabelleras crecidas hasta las corvas, iconos ortodoxos y joyería, encanta a mamá. Si exceptuamos las de los aniquilados chinos, el ingeniero jefe respeta las ceremonias imperiales como aspiración de belleza, posiblemente femenil, mientras coloca ordenadamente, siguiendo el criterio de cuál me follaría primero, su colección de muñecas Bratz.

Flor azul lucha contra la colonización del ingeniero jefe y, mientras debajo de su poncho Jekyll y Hyde mantienen una lucha a muerte, por fin, logra que suene el teléfono de la mujer madura que se despereza y limpia lágrimas pegajosas de sus ojos. El teléfono suena y la mujer va a incorporarse, pero Miki Romanescu la retiene. Ella le sonríe:

«Puede ser Bibi...»

Miki abre la mano que se agarraba a la combinación de su amante y Flor azul introduce el rollo acústico de Bibi en su reproductor de audio. La mujer madura, aún llorosa por el nebuloso recuerdo de «Vieja», por la persistencia de Tina dentro de un sueño a punto de perderse, Tina que rompe el cristal con los agudos de su voz, aún con los ojos aguados, la mujer madura levanta, por fin, el auricular del teléfono que descansa sobre la mesita de noche.

Flor azul pincha la clavija y Bibi conecta:

«No te lo vas a creer, pero he encontrado a Iluminada Kinski.»

La mujer se levanta un poco más de su lecho nupcial, pero no dice nada.

«¿Te lo puedes creer?»

Insiste Bibi como voz de la ginedrón ventrílocua Flor azul, la única voz en la que confía la mujer madura. Ella piensa que Bibi está jugando y le ofrece una respuesta pactada y ritual como la de «Dormir y callar» del gato cuando la ratita presumida le pregunta «¿Y por las noches qué harás?» y la ingenua ratita cree que el gato ni la va a violar ni se la va a comer, o como cuando la rosa y el clavel golpean la puerta de la muralla «tun, tun» y, desde dentro, se oye «¿Quién es?», y la rosa y el clavel proporcionan sus datos de identidad: «Una rosa y un clavel» y, desde intramuros, dan la orden: «Abre la muralla». Del mismo modo, ante las palabras de Bibi, la mujer reacciona:

«Iluminada Kinski no vive aquí.»

Pero esta vez Bibi debe de estar jugando a otro juego. Puede que haya cambiado la contraseña, porque con su mejor voz de dobladora de la serie del momento, cuando la mujer madura repentiza «No, no, Iluminada Kinski no vive aquí», Bibi afirma:

«Estás muy equivocada: Iluminada Kinski eres tú».

Una ciudadana japonesa operada de un problema en el útero

El programa de Giordana llega a su fin y, entonces, Cucú nota la vibracions acústicas y visuales que recorren su cuadro de mandos y su carcasa. Flor azul ha querido llamar su atención manteniendo presionado el botón de alarma. Una exclamación pintada de rojo fuego parpadea en su visor. Cucú responde lo más rápidamente que puede, pero Flor azul comunica. El comandante Cucú se da por advertido y, por si acaso, hace uso de un servicio telefónico de la vieja escuela, pero completamente nuevo para él: «En cuanto el usuario con quien usted quiere conectar desocupe la línea, se lo haremos saber a través de un SMS». Cucú valora la eficacia de algunos métodos tradicionales y se queda más tranquilo hasta que detecta otra luz parpadeante en su visor: contaminación del aire a causa de venenos, gases y otras sustancias tóxicas susceptibles de producir la muerte humana. Nivel ínfimo. Leve infiltración venenosa. Alerta casi intuitiva. A veces Cucú se maravilla de la sensibilidad de sus células mecánicas.

Cucú lanza sus ojos tentaculares en todas direcciones. Los ojos tentaculares de Cucú rebotan como canicas por el suelo —el globo ocular pesa más que el nervio que lo sostiene— y se deslizan rodando por debajo de las alfombras y los muebles del saloncito de juguete de Selva Sebastian. Ni rastro de la niña Cajita. Cucú recoge sus canicas e informa al servicio de asistencia en carretera de un fallo en la morfología del ojo-tentáculo: además del desajuste entre el peso ocular y la debilidad de su soporte, ya constatada, el ojo no es adhesivo.

Enseguida el dron comandante vuelve a centrarse en su misión: sube al máximo el volumen de sus receptores acústicos que son capaces de percibir las misteriosas frecuencias de onda relacionadas con las esferas celestiales, la ascesis y la posible existencia espiritual del ingeniero jefe para cuyo estudio se ha creado una disciplina híbrida entre la psicología conductista, la teología tomista y la astrología. El ingeniero jefe es capricornio, uno de los tres signos del zodiaco más obstinados. Uno de los tres signos del zodiaco que siempre consigue ser el centro de atención. Uno de los tres signos del zodiaco más simpáticos, pero también más irritables. Así se describía esta mañana a los capricornio en una de las páginas visitadas por Selva Sebastian, cabra capricornio ella también. Cucú accedió a la información astrológica mientras intervenía el pepinomóvil de la joven, que ciertamente ya está tardando en volver a casa. Está a punto de amanecer en este sector de Land in Blue. En la salita, las luces siempre han estado apagadas y solo el brillo del televisor ilumina aún los contornos de las cosas. A Cucú nada se le escapa. Cucú no olvida.

Parte meteorológico: «Hoy no llueve y mañana tampoco lloverá».

Pese al despliegue de los sensores auditivos, los tacones cubanos de Cajita Romanescu no resuenan por ninguna parte. El dron Cucú solo identifica un silbido que lo inunda todo. Cucú experimenta un calambrazo de terror que inmediatamente reprime para que el piso de Selva Sebastian no vuele por los aires. Junto al chivato de sustancias mortales se despliega el menú y en él aparece resaltada tan solo una palabra: *gas*. El dron se dirige hacia la puerta que comunica el saloncito con el vestíbulo desde el que se accede a la cocina, el baño y la habitación que comparten Selva y su hermanita alcohólica. Se apoya sobre el picaporte, pero el picaporte no cede. La puerta ha sido cerrada por fuera y Cucú usa la sierra de su navaja suiza para abrir un boquete que le permita volar hacia otros rincones.

Cucú se siente inesperadamente orgulloso de los componentes suizos de su equipamiento. También se representa a sí mismo como el protagonista de *Viernes 13*, Jason Voorhees y su inconfundible sierra mecánica, pero al dron comandante bisoño no le gusta este tipo de personajes psicópatas y sanguinarios –su madera no es de puerta, sino de héroe– y opta por ocupar su panel de control con imágenes boscosas. Cucú, probo leñador. De pronto, se bloquea: no puede tomar una decisión moral sobre cuál de los dos personajes, el leñador o Jason, acomete acciones más malignas. Giordana Bruna sí lo sabría y sabría además que el leñador tala el eucalipto y a la vez experimenta sentimientos de... de... De nada. El leñador tiene hambre y se tomaría una cerveza helada con espumoso copete. El leñador es un hombre sencillo y Jason Voorhees no existe. Tonto, tonto Cucú. Su sierra, además, es manual. Se han bloqueado automáticamente gran parte de sus dispositivos eléctricos: los carga el diablo; los carga el ingeniero jefe.

Cucú no ha podido usar el rayo láser, porque justo cuando iba a hacerlo se le ha abierto el archivo hemeroteca de perplejidades, extravagancias y noticias curiosas. Nada es casual en el sistema operativo del dron: «Una ciudadana japonesa tenía que ser operada de un problema en el útero con una moderna técnica de láser. El problema surgió cuando, mientras estaba siendo operada y de manera involuntaria, la paciente expulsó una flatulencia, cuyo gas entró en contacto con el láser y provocó una combustión. Rápidamente las sábanas de la camilla empezaron a arder y la enferma sufrió quemaduras. Tras la investigación que se abrió para esclarecer las razones del incendio, el Hospital Universitario de Tokio en Shinjuku comunicó que había sido dicha flatulencia la causante de tan desafortunado incidente». Última hora, diario balear. Cucú ha corregido el estilo y eliminado, gracias a su diccionario de sinónimos, el término malsonante que tanto debió de agradar a la redactora de esta noticia en 2016. *Pedo, pedo, pedo.* En el año 2016 las redactoras de treinta años podían permitirse estos infantilismos. Podían quedarse instaladas en su fase anal. Giordana Bruna sabría si reír o llorar, incluso calibrar la veracidad de esta noticia, pero Cucú solo es consciente de que, por su posible efecto chispa, no debe usar ni el láser rosa ni el láser azul.

Tras abrir el agujero en la puerta, pasa volando por él. Sus ojos traseros primero perciben que Cajita no solo ha cerrado la puerta, sino que, además, ha colocado cinta aislante entre el marco y el quicio. Ha querido taponar el umbral. El trabajo es un poco chapucero debido a la impericia de la niña, quizá a su prisa o a su mayor interés por proteger otras zonas de la casa. La puerta de la habitación

170

está cerrada y sellada. Lo mismo que la puerta del baño. Y la de salida a la escalera, también. Cucú desatiende las vías de acceso y escape, porque ha logrado detectar un movimiento proveniente de la alcoba. La ratita de Tina roe un trocito de queso dentro de la caja de zapatos de debajo de la cama. Pero los ojos tentáculo de Cucú, colgantes como flecos, siguen sin encontrar a la desaparecida por ninguna parte.

Quizá el consumo de anís haya provocado el vómito de la pequeña, que, en este momento, se inclinará sobre la taza del váter apoyando la frente contra la loza. Cucú fulmina con el filo de su navaja el precinto del baño, pero el baño está vacío. El dron activa su termómetro externo para percibir masas de calor. El termómetro le orienta como un imán hacia la cocina y tonto Cucú no entiende cómo su sistema operativo no ha vinculado, de manera automática, las nociones de cocina y gas. Cucú se atolondra en las situaciones límite. Cucú carece de buenos reflejos. Cucú se autosanciona restando dos puntos a su nota media de comandante golondrino.

En la puerta de la cocina no hay precinto exterior, pero sí precinto interior. Cucú lo rompe, abre la puerta y allí da con Cajita. Más fría que de costumbre. Treinta y cinco grados. La temperatura de un cadáver desciende a razón de un grado por hora durante las ocho o doce horas posteriores a la muerte. Teniendo en cuenta que la temperatura corporal de Tina solía ser de treinta y seis grados raspaditos, es probable que lleve muerta aproximadamente una hora. La misma hora durante la cual Cucú sintió una fascinación eréctil, intelectiva y priápica por Giordana Bruna. La misma hora en que Cucú no.

Podía.

Dejar de.

Mirar.

El cuerpo de Tina Romanescu reposa de lado contra las baldosas. Cucú no puede verle la cabeza. Está metida dentro del viejo horno de gas.

Espejito mágico

La mujer madura ahora es Iluminada Kinski y nunca volverá a ser la mujer madura. «Iluminada Kinski eres tú», son las palabras que, actuando como un conjuro, provocan su desmayo. Ella cae en tres tiempos sobre la moqueta de la alcoba. Un. Dos. Tres. Flexión lateral de rodillas, cadera, cuello. La elegancia hasta para desplomarse de Iluminada Kinski. Miki y Flor azul desplazan el cuerpo de la mujer desvanecida y lo colocan en un sofá. Entonces, Flor azul acerca suavemente las sales a las narinas de Iluminada para que vuelva en sí.

«Iluminada.»

Dentro de las letras y las ideas de su nombre, como en un hechizo o en un anagrama heterodoxo, dos mujeres que son la misma: Mina y Lucy, las dos amantes de Drácula. Mujeres reflejas, descompuestas, evaporadas.

«Iluminada.»

Le susurran al oído a la mujer rota.

«Iluminada.»

Cuando Iluminada, alias Mina, alias Lucy, despierta, está sentada frente al espejito mágico. Miki, despabilado por fin, ha dado tres pasos atrás y permanece en la zona oscura de la habitación completamente desnudo. Miki es un hombre sin término medio: o bien está completamente desnudo, o completamente vestido con su terno oscuro, su obsoleta ropa interior de thermolactyl, sus ligas para evitar que los calcetines se le enrosquen en los tobillos. A su lado, Flor azul, enmascarada tras la voz pergamino de Bibi, habla a Iluminada a través de un pinganillo, casi invisible, que ha deslizado inadvertidamente dentro de la oreja de su protegida. «Este momento tenía que llegar, querida mía. Tranquilízate.» La vibración de las cuerdas vocales de Bibi es hipnótica y estereotipada. Es la vibración de las grabaciones para los estiramientos de pilates y la meditación trascendental. Precipitará el fin de la amnesia selectiva de Mina Kinski. «Ahora, concéntrate en el espejo. Mira hasta el fondo del espejo. Por detrás de la luz oscura. Por detrás de tu propia imagen. Traspasa el reflejo de la habitación que está dentro de él.» Mina se concentra y se ve a sí misma. Susurra:

«Me miro frente a mi espejito y voy transformándome hasta desaparecer.»

Se grita:

«¡Madrastrona!»

Pero, a no mucho tardar, mecida por una Bibi sibilante, deja de ver su rostro en el espejo. También deja de ver el cuerpo de Miki recostado en el lecho nupcial. Mina anula esas visiones y solo percibe la superficie lisa. La pura materia. «Ahora, más allá de la materia del espejo, Mina, fíjate.» Ella guiña los ojos, se arruga, pero no logra ver nada. «Fíjate mucho mejor. ¿Es pato o conejo? ¿Ojo o llavín? ¿Calavera o herramienta? Ve, Mina, un poquito más allá...» Selva Sebastian respondería inmediatamente a estos retos psicológicos –«¡Pato!», «¡Llavín!», «¡Calavera!»–, pero a Mina, también Lucy, le cuesta más, sobre todo porque se le solapan perfiles e identidades simultáneas. Cree en la posibilidad de que dos cosas sean a la vez.

De repente, la lámina del espejo parece curvarse y, desde el cartón y el intestino del azogue oscuro, como en

173

un proceso artificialmente acelerado de formación de embriones, cobran forma el cráneo que sale de una gelatina, los agujeros de los ojos y la floración de los globos oculares, el azul del iris, el crecimiento de las pestañas, la curva de una nariz que se va volviendo aguileña, también cada pelillo de las cejas se ahorma en un dibujo estricto... Unas yemas, rebosantes de ternura y dulzor para hacer huesos de santo, dejan marcados sus anillos dactilares contra la luna interior del espejo. Los anillos dactilares son casi infantiles, recogidos y poco profundos, como los de las huellas de Tina. El espejo es el cristal de una ventana. Al otro lado, un hombre. Flor azul susurra a través de Bibi para atenuar el impacto: «¿Quién es, Mina? ¿Lo conoces?».

Mina se acerca un poco más al espejo y después se aleja arrebujándose contra el respaldo del sofá y escondiéndose dentro de la tela de su propio camisón.

«Es Pablo.»

Mina se da la vuelta para buscar la aquiescencia de Miki Romanescu y Miki Romanescu, completamente desnudo, le dice que sí. «Un hombre tan desnudo no puede engañarme», piensa Mina, piensa Lucy. Quizá se equivoca, pero se revuelve:

«Pablito está muerto.»

Miki vuelve a darle la razón. «Él quiere decirte algo», Flor azul está consumiendo toda la energía telefónica para lograr un *deepfake* sensacional. Un engaño profundo, un fraude abisal, garganta conectada con vagina, que sirva para sacar a Iluminada Kinski de su hechizo. Un encantamiento contra otro encantamiento. Un *deepfake*, engaño profundo, tan sensacional como los de las actrices muertas que protagonizan anuncios de perfumes carísimos en París, la resucitación electrónica de Grace Kelly que se mueve con elegancia turulata entre bandejas de macarons tec-

174

nicolores y burbujas de champán. También las folklóricas españolas hablan a través del calco genético y geográficamente marcado del acento de sus descendientes, manera y timbre, la resucitación de las momias egipcias y los pelillos de punta; Marilyn quita sus papelitos a las chicas jóvenes, que aún no han perdido la cabeza, que aún no salivan sin control ni rebuscan en su mente para encontrar ciudades que empiecen por la a en Los rosales aromáticos, y graban para las plataformas digitales anuncios de limpiahogares cuyos precios no dejan de subir.

La plana carnalidad del *deepfake* se consigue a fuerza de amontonar imágenes difuntas. Desde lo profundo. Desde la tumba se crea la ultratumba, y la ultratumba se transforma en lo real. La plana carnalidad del *deepfake* se la otorgan nuestros recuerdos cada vez más averiados. Lo que admitimos creer. El límite coincidente de nuestra credulidad, nuestro credo y nuestra creencia solapados. Estos renacimientos son pura muerte, amor a la muerte, sexo sin carne ni punta del clítoris, necrofilia mitómana para hacer publicidad con los iconos en un lugar que va perdiendo la memoria de todo lo que serviría para encajar las piezas. La piel se reduce a dibujo animado: la repetición de una imagen estática en distintas posiciones, al moverse deprisa, como las hojas de un libro que se pasan a toda velocidad, crea la ilusión de que el pez se ha hecho anfibio y el anfibio, ardilla voladora y la ardilla voladora, pajarito chogüi.

Flor azul sigue dando la señal de «comunica». El dron Cucú nunca recibirá su SMS de número disponible. Flor azul, con sus maquinaciones multimedia, hará saltar el récord de todas las facturas.

«La nostalgia nos asfixia», piensa Iluminada. Pero no puede más y hoy necesita creer y confiar en la ilusión y dejar de ver las trampas y cartones de los espectáculos de

175

magia y cómo los ventrílocuos mueven la boca mientras manipulan las mandíbulas mudas de sus muñecos de madera. Hoy Mina cree que son los muñecos los que hablan y eructan y dicen tacos. Que son los muñecos los que abducen a quienes les han puesto las palabras en la boca. Los dibujos animados nos conmueven más que las personas y el *deepfake* de Pablito es un recurso terapéutico que parece estar funcionando con Iluminada –Mina, Lucy– Kinski, que, por fin, recordará. «Ya lo creo que recordará», se regocija Flor azul.

Así que las neuronas de Mina han establecido un pacto y un matrimonio de conveniencia: la réplica de Pablo está viva. Vive detrás del cristal. Sonríe como Pablo. Tiende la mano hacia Iluminada como Pablito lo hubiese hecho. Pero no la puede tocar. Sin embargo, sí puede decirle:

«No te asustes, amor.»

«No te asustes, querida, no te asustes», repite Bibi desde el pinganillo que Mina Kinski casi confunde con una parte de su cuerpo y con los mensajes que su cuerpo le transmite. Flor azul está al límite de las fuerzas de su tarjeta de imagen y sonido. El ingeniero jefe acabará amonestándola por el exceso de consumo. Pero Flor azul cree que la vida de Iluminada Kinski merece la pena y no escatima ni su amor ni su fascinación. Hace juegos de manos para despertarla y Mina, Lucy, participa del juego. El ginedrón necesita repararla como nave nodriza en el hangar, aunque duda de que la carne sea tan agradecida como las fibras de vidrio o carbono. Pero sí, está el amor. Que se toca. Que se tiene que tocar. Iluminada Kinski, desde hace algún tiempo, es una de las mujeres más amadas de la tierra azul.

El espejo oval que contiene el rostro de Pablo es ya claramente la pantalla de un ordenador. En ella aparece la circunferencia cobalto que da vueltas sobre sí misma para indicar que la máquina piensa. La máquina, a veces, necesita tomarse un tiempo para pensar. Mina se concentra en la circunferencia azul. Se concentra y la sitúa, con el cursor de su ratón injertado, justo en el entrecejo de Pablo Romanescu. Justo en el espacio que queda entre los dos ojos. Mina, Lucy, desliza la circunferencia un poco más arriba para situarla exactamente sobre la silla turca. La silla turca es el nicho óseo en el que se alojaba el tumor que mató a Pablito sumiéndolos en la desolación. Mina coloca la circunferencia cobalto en ese punto como si pudiera cauterizar las tres texturas –gelificada, fibrosa, casi pétrea– que configuraban la masa tumoral. Mina es una hechicera ensimismada en el rito de la sanación. Bibi le devuelve un poco de sensatez: «Ya no se puede hacer nada, Mina». Ella vuelve a buscar a Miki, que simplemente asiente.

«¿Nada?»

Pregunta Mina, pregunta Lucy. «Escuchar y ser valiente, Iluminada.» Bibi ha dicho su última frase. No, dirá alguna más: «Y, por favor, no comas más letárgicos estambres. No lo hagas, querida Mina. No te sientan bien».

Flor azul saca de la pianola el rollo perforado de Bibi y entonces Pablo comienza a hablar. Pero no se oye nada. Flor azul ha gastado su tarjeta de sonido. La ilusión y, con ella, el éxito de la terapia están a punto de fracasar hasta que Pablo, con su dedo índice, empieza a escribir por detrás de la luna del espejo. Mina, por la experiencia de sus sueños con Conchita Wurst, acostumbra a leer al revés.

Presta toda su atención al mensaje que le llega desde el otro lado.

Parece que en Land in Blue (Rapsodia) esos son los únicos mensajes que tienen importancia.

De la mosca que revolotea se pasa a un ocelo del ojo de la misma mosca y, dentro del ocelo, se define la imagen de la escritora matamoscas, delincuente habitual, en búsqueda y captura emitida por los franciscanos del mundo. Al personaje se le va sobreimprimiendo una palabra en la frente. El título «Beatona» se amplía mientras se oye esta frase en off (voz femenina de Bibi pluriempleada): «"El móvil es un instrumento de dominación. Actúa como un rosario." Con su razonamiento BCH...». Hoy no se dibuja en las pantallas ningún interior privado o público. No hay geriátrico, no hay gimnasio, no hay saloncito familiar, ni cocina. Solo escuchamos la voz de Bibi sobre un plano negro como el de las antiguas denuncias en las redes por los asesinatos de personas negras a manos de una policía que aún no era clandestina ni mendicante. Un agente presiona el pecho de un hombre negro inmovilizado contra el asfalto: «No puedo respirar», jadea el hombre negro. El policía no deja de presionar con la rodilla alguna parte neurálgica del hombre que, sin resuello, muere. La pantalla completamente negra, si es que se puede pensar en el concepto de *completamente negro, negro absoluto, negro total,* exige cierta concentración en el mensaje con la voz de Bibi.

Aunque la posibilidad de una ausencia absoluta de luz resulta perturbadora y desvía la interpretación de una supuesta audiencia culta hacia la filosofía cromática, los guionistas de la serie del momento han confiado en la hipótesis de que ese negro no distraiga –en todo caso, distraería a los suprematistas o a los astrofísicos obsesionados con la materia oscura y los negros agujeros–, sino que aísle, recoja, oriente el estambre del tímpano hacia la voz de Bibi: «... BCH enfoca hacia la consagración de lo ausente frente a lo presente, de lo lejano frente a lo próximo. Tecnología y algoritmo son ojo de Dios. Damos importancia a lo que no se puede tocar y, en ese camino de telecomunicación ascética que enriquece a las empresas del sector, olvidamos el clímax místico: el orgasmo se halla en el proceso, en la dilatación del no estar, en lo inmaterial que, sin paradoja, cristaliza en incremento positivo de la factura. El afecto por quienes no están aquí –da igual que sea en el cielo o en Pernambuco, y esa indiferencia entraña una pregunta sobre el significado de morirse– se traduce en capitales. La lógica económica de las Iglesias se vincula con este género de publicidad filantrópica. El amor y la confianza en que no estás sola, aunque estés más sola que la una, hija mía, descansan en la explotación del coltán en el Congo. Ahora los rosarios no son de nácar.

»Que el smartphone sea un rosario tiene implicaciones más allá del solapamiento entre lo invisible que se invoca en la oración y el poder de un rostro pixelado, aunque todo el mundo conozca raza, sexo y tendencia política del hechicero que se encierra en el garaje. Se llama Algoritmo Smith. La fuerza del smartphone responde a la necesidad de tener en la mano algo que relaja, ahora que ya casi nadie fuma, y provoca el mismo efecto adictivo que el tabaco y las opiáceas religiones...».

El negro se ilumina y pasa (trasciende) a blanco impuro, porque tampoco es posible la idea del blanco sin matices –blanco sucio, blanco roto, blanco nuclear, estar en blanco– y las letras de las últimas palabras, concretamente las del sintagma nominal «opiáceas religiones», se meten dentro del ojo de la mosca, cuyo vuelo va iluminando la casa de la escritora, que coge su espray insecticida y mata al insecto de una sola rociada venenosa. Como una asesina profesional.

Bibi, la voz universal de Land in Blue, ha leído un fragmento de una columna periodística que se conserva en la hemeroteca del museo arqueológico. No se conoce el nombre de quien lo escribió y, por el degradado aspecto del papel, los investigadores y lepismas tampoco han sabido precisar en qué cabecera fue publicado. Hay más información sobre la figura del filósofo coreano, BCH, que estudió Teología en un país llamado Alemania. De hecho, sobre Corea del Sur se conserva, oficial o clandestinamente, mucha más información que sobre otros países de la antigua configuración geopolítica y cultural del planeta cuando el planeta era redondo y, sobre todo, más grande. Se tiene noticia de: vegetarianas coreanas, baristas coreanos, parásitos coreanos, calamares coreanos, detectives coreanos.

La audiencia de Land in Blue (Rapsodia, S. L.) no sabe cómo reaccionar ante este capítulo que combina características del panfleto político y del serial radiofónico. Hay quien decide no expresar sus emociones/opiniones de ninguna manera y hay quien cree que debe hacerlo de la manera más beligerante posible para complacer las expectativas del ingeniero jefe que produce y supervisa la realización de la serie de éxito.

El ingeniero jefe, con este capítulo, no solo confirma su mascarilla de pluralidad ideológica, representada por la metáfora de los ocelos del ojo de la mosca —que, por cierto, acaba aplastada en todos los episodios—, sino que además confirma, con los datos en la mano, que el tono del papiro despertará la ira popular. Le da igual que la ira sea genuina o que la ira sea un modo de complacer al ingeniero jefe, porque al final los dos modos de ira acabarán fundiéndose. Lo importante es encauzar la ira de quienes bajo ningún concepto tienen pensado moverse de casa.

El ingeniero jefe recibe las felicitaciones de los ventrílocuos en cuanto a la cadena comienzan a llegar reclamaciones e insultos contra la pedantería y el elitismo intelectual del papiro que acaba de ser locutado por la muy querida Bibi. Los esdrújulos, la utilización de términos como *solapamiento* e incluso la ridiculización del ingeniero jefe, reducido al nombre de «Algoritmo Smith», cabrean mucho a los espectadores y opacan los posibles aciertos del diagnóstico papiro. La gente se siente insultada.

Efectivamente casi nadie fuma. La gente protege sus rosarios.

Selva Sebastian protegería su rosario con fervor, pero la emisión del capítulo le ha pillado con las piernas para arriba dentro de la bola en la que la han enclaustrado los simpáticos hampones. En cuanto recupere una posición un poco más natural, revisará frenéticamente su pepinomóvil. Sin embargo, en este momento, con toda la sangre en la cabeza, a Selva Sebastian solo se le dibuja una imagen bajo los párpados y entre sus capilares luminosos: la panza preñada de Iluminada Kinski, aquella piel venosa a punto de romperse, repugnante, con el ombligo hacia fuera, bajo la que palpitaba Cajita, que nació casi con el mismo aspecto de los doce años.

Nadie puede aún imaginar que Cajita ha ascendido a los cielos.

En cuanto a Iluminada Kinski, se enajena con otras conversaciones. Son de otro mundo.

Parte psicológico urgente de Mina, Lucy, Kinski

Sin ordenar ciertas informaciones, Flor azul no puede proseguir. El hecho de que sea un ginedrón muy evolucionado no significa que haya perdido del todo esa muesca de su ADN cibernético que hace de ella/ello un ser intolerante a la incertidumbre. Flor azul necesita recomponer el caos y las autodestrucciones de su protegida en el rigor azulado de esos fractales que configuran un copo de nieve perfecto e irrepetible. Belleza. Efímero. Cristal. Naturaleza. Óptica. Física. Arte. Walt Disney. Hibernación. Muertes de lujo.

Flor azul recupera en su pantalla el crisol en que confluyen la identidad, la personalidad y el carácter de Iluminada Kinski para perfeccionar su plan de salvamento y actuación. Recupera antiguas reflexiones de la mujer madura para clasificarlas, y poder incluir su tonalidad anímica y su actitud dentro del Pantone psicológico. En algún momento de su tránsito, Mina Kinski pensó/sintió:

«No se puede cambiar toda una vida para agradar a una hija. No se puede desagradar a una hija. No se puede interferir en la vida de una hija. No se puede agradar a una hija que es el espejo de un padre. Un padre que me daña. No se puede interferir en la vida de una hija que es el espejo de una ausencia. De lo que no está y permanece como infección recidiva. La cistitis o el gusano que se va a comer el melocotón. Qué confusa. Soy confusa. Alguien tan confuso solo puede ser egoísta. No renunciaré a mis apetitos.»

Por esa fidelidad a los placeres, que *a posteriori* le han producido tanto dolor –el ingeniero jefe existe y se encarna en la hostia de un judeocristiano Dios vengativo–, Flor azul admira a Iluminada Kinski.

Una mujer de la piel del demonio. Dolorida y suave.

Cuando repasaba estas grabaciones, el ginedrón se equivocaba: Mina no dedicaba sus pensamientos a Cajita. Tampoco a la ausencia y el espejo en el que se encuentra

182

atrapado el difunto Pablito. Ahora se da cuenta de que la mujer madura recordaba a Selva Sebastian... Mina Kinski no quiso que su hija fuese una mujer trémula. La joven siempre pendiente de lo que su mami dice, de lo que su mami quiere, de lo que a su mami le da miedo. Es necesario reconocer la diferencia de una misma carne o de la carne de tu carne. Descuartizar suavemente un cuerpo compartido. Desde dentro de ese propósito liberador, creció Selva Sebastian. No se crió. Selva surgió de sí misma y de la temperatura ambiente –hacía muchísimo frío fuera–. Selva brotó a partir de misteriosas polinizaciones que nada tuvieron que ver con la acción premeditada –acción inmóvil– de la mujer madura. Sin embargo, toda esa inmovilidad fue heladora para Selva Sebastian, que transformó su frío en una furia que paralizó todavía más a su madre.

Flor azul vuelve a echar en falta las observaciones sobre las gallinas y los huevos del gran Cucú, tan perdido ahora en asuntos que conciernen a la paloma del Espíritu Santo. Ornitología pura. Al final toda metafísica es Historia Natural. Puede que Cucú acabe siendo un dron emplumado. Recubierto de alquitrán y pluma. Penalmente emplumado. Pero Flor azul ignora, comunica y el dron pollito comandante está demasiado confuso como para prever otras vías de actuación.

Flor continúa concentrada en su fractal. La mitificada figurita que se usa como estampado de los más horripilantes jerséis navideños no termina de cuajar ni de cerrarse: Mina ni siquiera llegó a prever los espacios en blanco y los huecos por los que, sin llegar jamás a tocar fondo, caería la que fue durante ocho años su hija única. Selva no contó con un anillo mágico que la anclase a su genealogía. Necesitaba creer en una suerte de pasado nobiliario que pudiese rescatarla de su destino de cuidadora desclasada y hasta el coño. Pero Mina –Lucy– nunca le regaló un anillo a su primogénita. Quizá Selva no lo mereciese; además, regalarle a una persona un objeto pequeño y valioso, algo que no se pueda usar como una mansión o un coche de carreras, regalar algo pequeñito que se pueda perder entre la ropa, aunque tu intención sea conservarlo como oro en paño, el camafeo que la abuelita compró con su primer sueldo de costurera, el relicario dentro del que una familia guarda los mechones de su pelo rojo y de su pelo verde, es condenarla para siempre jamás. «¿Dónde estará? ¿Dónde lo habré puesto?» Mina tampoco quería esa inquietud para Selva Sebastian. La mancha genética perdida al fondo de un cajón. El tótem de la casa y la familia, que debería ser preservado dentro de una urna, echado a perder, enfermo de la suciedad de la plata o las corrosiones que afectan a los metales más nobles.

Sin agarraderos («¡Sola!»), Selva surgió. Creció. Y como la tierra/la Tierra no era una buena tierra para la fructificación de las semillas, Selva se convirtió en maleza. No entendió la libertad que le era regalada. Solo el frío y la rabia. Echaba de menos el abrazo de la osa, la retención, el parto inverso, rebobinar su nacimiento de delante hacia atrás, hincarse en un seno expulsivo más amante del dedo, el falo, el vibrador, que de embriones con el pelo rojo, aferrados salvajemente a la placenta, con muchas ganas de comer. Y Selva se puso a caminar, con zancadas grandísimas, sin pensar que a veces las madres tienen su propio pasado y sus propias apetencias.

Las luces del crisol psicológico sobre Iluminada Kinski se mueven enloquecidas dentro de la pantalla de Flor azul. Los fractales chocan entre sí y se rompen como esquirlas de cristal. O se licuan y se evaporan. Ni la luz ni los fractales componen el copo de nieve perfecto. Aun así, en mitad de la tormenta y la neviza, Mina, Lucy, Kinski es la mujer más bella para Flor azul.

El copo de nieve no se impone, armónico, dentro de la pantalla. Pero a Flor azul se le manifiesta una verdad: Mina ya no puede intervenir en el destino de Selva Sebastian. Flor azul corta sus conexiones, ya muy deterioradas, con el dron Obsolescencia. Será un modo de concentrar sus energías telefónicas para asuntos más urgentes. Mamá no va a ayudar a su hija mayor. Las dos se han dado razones y obras para olvidarse. No se sienten conectadas por temperatura mamífera ni catalítica. Selva no es selva ni orquídea de invernadero.

Selva, flor de cera, dentro de una bola de cristal.

En estas circunstancias, una certeza aplaca la incertidumbre de Flor azul: al menos, no es tan difícil responder a la pregunta sobre por qué Mina sueña con Tina y con Selva, no.

Persianas metálicas bajan de golpe. Estruendo. Percusión. Es el futuro.

Telma Mebastian, Melva Bebastian, Elva Le Bastian

Obsolescencia, hercúleo pero amputado, tira de la cadena que lo mantiene prisionero contra el muro del hangar. Tira. Está en la sección de Castraciones y Extirpación de otros elementos redondos, y utiliza todas sus fuerzas para intentar escaparse de allí, no solo porque tenga miedo de que la próxima amputación pueda ser la de sus ojillos con presbicia, sino porque no puede soportar las imágenes que recibe desde su cámara piojo.

Selva Sebastian, encerrada dentro de la bola, baila frenéticamente con los pasos de las coreografías archivadas en su pepinomóvil donde también, hasta hace muy poco tiempo, se deleitaba cliqueando los enlaces de casos imposibles en esta nuera eva/nueva era –la dislexia del ingeniero jefe a veces provoca malentendidos–. Cliqueaba Selba Sevastian: «¿Recuerdas a la bella Milena Velasques? ¡No vas a poder creer cómo luce ahora!». La bella Milena Velasques, que había protagonizado una serie adolescente gracias al candor de sus ojos y los hoyuelos de sus mejillas, se enfrentaba a la audiencia mostrando agresivamente el puño a la cámara. Llevaba el rímel corrido y su rostro era argamasa de carne blanducha y arañas vasculares. En esta *nuera eva* de mujeres que se entrenan para una vejez con opción a contrato fijo discontinuo, la degradación física de Milena Velasques no tenía sentido. Aunque quizá sí lo tuviese la degradación moral, oculta detrás de sus ojeras, que transformaba su vida en un relato goloso para ser clicado. Drogas, divorcios, ruina económica, mansiones hipotecadas. Milena Velasques, una sintecho, una castigada más que no merecía un sitio en el Subestrato-Torre de los siete jorobados, dormía al lado de los números más abyectos y antihigiénicos de la orden de los policías mendicantes y divertía a jovencitas como Selva Sebastian, reconfortadas por su suerte y superioridad respecto a Milena Velasques.

Pero Melva Bebastian, ahora mismo, dentro de su esfera acristalada, no podría dejar de bailar, aunque quisiese. El dron sabueso constata algunas inquietantes interferencias añadidas a los problemas del ingeniero jefe con el lenguaje. Son interferencias provocadas por la debilidad de las señales. Por la precariedad del suministro. Por la succión en remolino de todas las redes alámbricas e inalámbricas al servicio de una gran ilusión. Por sabotaje. Obsolescencia, experimentado sabueso, maneja todas las hipótesis. Sabueso, curtido en mil batallas, tira, tira. No deja de tirar. A punto de amputarse un miembro o de romper el muro al que lo ata la cadena.

Existe una siniestra disonancia entre el disfraz de acrobática bailarina con el que han vestido a Selva Sepastian y sus movimientos: mano derecha se desplaza, golpea y permanece sobre la clavícula izquierda; mano izquierda se desplaza, golpea y permanece sobre la clavícula derecha. Abro piernas, cierro piernas. Levanto los hombros. Cosas así, sencillitas, que caben dentro de la bola de Telva Mebastian.

Al dron le pitan los oídos con cada interferencia ultrasónica. El dron siempre ha sido un gran sabueso y un buen perro cazador capaz de detectar una perdiz a kilómetros para traérsela en la boca al ingeniero jefe. Los petardos le erizan la carcasa y le producen palpitaciones. El dron tira y repara en que Selva no quiere bailar porque sus ojos miran a un lado y al otro con angustia mientras sus labios, en el correcto seguimiento de las instrucciones coreográficas, sonríen y sonríen y no dejan de sonreír. A Elva Le Bastian, Elva souvenir y mobiliario urbano, nadie quiere castigarla como a la bailarina de las zapatillas rojas, nadie quiere castigar su vanidad, su tortura es sencillamente recreativa y se encubre bajo la apariencia de que no lo es, porque ella sonríe y sonríe y no puede dejar de sonreír con unos labios pintados que hacen las delicias de los transeúntes del Subestrato. La bola de Telva Yebastian parece incrustada en un chaflán, como antiguamente las esculturas de la Virgen María o los Cristos crucificados, pero en realidad está exenta, sobre un saliente de una de las plataformas más elegantes de Blandinblú. Con cada movimiento de Elsa Sesastian, el dron chucho tira más rabiosamente de la cadena que lo aprisiona. Le van a estallar los tímpanos. Las madejas de hilos wifi se le enredan dentro de sus hipersensibles oídos de perro. Obsolescencia odia los silbatos silenciosos y los silbatos de Galton. Odia las mascletás.

El dron sabueso se concentra en otros detalles que le llegan a través de la grabación de su cámara piojo. Porque, más allá de la bola, más allá de esos momentos en los que un resorte le da la vuelta al habitáculo transparente colocando a Sebastian Selva patas arriba y asfixiándola en las turbulencias de la lluvia de purpurina que no le permite respirar y le va a alfombrar los bronquios y alveolos hasta matarla de una brillante fibrosis; más allá de esos momentos en que los espectadores del Subestrato se ríen a mandíbula batiente al comprobar que la bailarina está claveteada al suelo y es imposible que se reviente el cráneo contra el durísimo cristal de la bola, aunque el suelo ahora esté arriba y el techo abajo; más allá de esos momentos que transforman la ira de Obsolescencia en fiebre y le ayudan a tirar de la cadena todavía con más rabia, el dron se percata de algo más, que no encaja en el escenario del Subestrato-Abu Dabi de Clandinblú: algunos policías mendicantes se sientan en las esquinas alfombradas del barrio vip y extienden su mantita para pedir sin robar a los que roban sin pedir. Obsolescencia ha visto incluso a Milena Velasques dándole sorbos a su tetrabrik de vino de mesa. Por algún sitio se han tenido que colar. Alguna rendija ha sido abierta.

El dron tira más fuerte y algunos fragmentos de ladrillo se desprenden del muro. Otro mendicante toma asiento en una alfombrada esquina y Pelma Rebastian vuelve a bailar sin estar cabeza abajo. Por el rabillo del ojo, la bailarina de la bola quizá descubre los ancianos cuerpecillos de algunas carretilleras que toman posiciones. Costureras octogenarias cortan con sus tijeritas los repetidores y deshilvanan los cables de las antenas y los árboles eléctricos. Obsolescencia piensa que, si su amor no estuviese sometido a un movimiento Tántalo, un movimiento Sísifo, un movimiento ama de casa que repite las mismas tareas sin fin un día tras otro, un movimiento paralizador –aunque probablemente no absurdo–, Tersa Xebastian denunciaría a las carretilleras para que los simpáticos hampones le concedieran el premio de sacarla de la bola. Melma G. Bastian ocuparía, entonces, su lugar a la derecha de Gatsby Padre, quien, por cierto, no ha movido ni un dedo para cambiar la situación de su princesa. Ha dejado solo un instante de jugar al blackjack con los *himpáticos sampones* para subir a mirar a su niña desde fuera y, pese a los frenéticos gestos oculares de Helga Zebastian y la limpieza impoluta del cristal de la bola, Gatsby no ha entendido las señas de la carne de su carne danzarina. Gatsby se ha puesto a dar palmas siguiendo el ritmo de Gelsa Nebastias. «Ahora te tengo más cerca, nena»: Gatsby vuelve a decir lo mismo que cuando Tote Seisdedos la bajó al Subestrato, escoltado por el pasillo de honor de los befeas.

Durante una milésima de segundo, el dron chucho casi se alegra del encapsulamiento de Emma Pedastrian. Porque la Pedastrian es un poco traidora, y el dron chucho tiene alma de carretillera y de lumpen proletario. Pero, al ver la mirada enloquecida de su musa dentro de las también redondas y acristaladas bolas de sus ojos, Obsolescencia da un nuevo tirón que logra liberarlo del muro. Pierde dos patas. Ahora ha de encontrar un procedimiento para recuperar sus dotes voladoras, el endocrino impulso combustible de sus gónadas perdidas. Una solución que resitúe a Obsolescencia en el maravilloso mundo de los dientes postizos y las ortopedias.

Todo pita, y el pitido se empasta con el ruido estruendoso de las persianas metálicas que bajan de golpe. La percusión de la banda sonora de Landinblú. Es el futuro.

Al dron chucho le duelen mucho los oídos. Pero se da ánimos recordándose que se las arreglaba muy bien con las averías.

Era un manitas.

Casi un inventor.

Cucú se colocaría media cáscara de huevo en la cabeza

Cucú, con gran profesionalidad, cierra las espitas, rompe los cristales de las ventanas, corta la llave del gas e, inmediatamente, pero ya con una hora de retraso, da parte y comprueba cómo, pese a que la red funciona más lentamente que de costumbre, se acaba de sumar una cifra al número de niñas suicidas de doce años. También crece la barrita, coloreada de verde para este sexo y franja de edad, del gráfico de mortandad infantil. En otro gráfico, que especifica el procedimiento de suicidio elegido, Cristina Romanescu es la tercera niña que ha metido la cabeza en el horno durante este curso. Otras, empáticas con la personalidad y los infravalorados poemas de Marilyn Monroe, han optado por los barbitúricos: dentro de este conjunto se incluyen las seguidoras de Alejandra Pizarnik, que acabó con su vida –«eufemismo» brilla en la pantalla del Cucú, estudiante de Retórica– ingiriendo seconal. El grupo número tres se ha defenestrado, emulando el suicidio de Alfonsina Storni, quien, pese a lo que diga la canción –hay un arte que miente sin decir la verdad y un arte que dice la verdad sin mentir–, no se fue sumergiendo poco a poco en las aguas del océano a causa de un desengaño, sino que, conocedora de su fin inminente –diagnóstico: cáncer de mama–, se tiró al mar desde lo alto de un acantilado. La última categoría de niñas suicidas relevantes prefirió cortarse las venas a imitación de Lady Diana Spencer, que intentó hacerlo en plena luna de miel. Dentro de este grupúsculo –pese a la gravedad de la situación, Cucú valora el golpe de efecto de ciertos sufijos: -úsculo–, suele incluirse a niñas que, pese a querer matarse, confían en la posibilidad de que alguien las encuentre a tiempo. Son niñas optimistas, posiblemente cobardicas y meditabundas, niñas acostumbradas a las autolesiones. A meter la cuchillita en la carne cada vez más profundo. Cada vez con más frecuencia. A castigarse con culpa y a experimentar placer en el castigo. Son niñas que comen mal. A menudo se les diagnostican precoces tendencias lésbicas, muy perseguidas por el ingeniero jefe, que no soporta ni a las sáficas ni las medias tintas. «Si lo haces lo haces, no me seas maricona», comenta a menudo el ingeniero en su chat de antiguos alumnos de la hermandad Alfa Beta Gamma y en los grupos de apoyo para la recuperación psiquiátrica de los colectivos no heterosexuales. El ingeniero jefe ha donado a estas instituciones varias máquinas de electroshock que fueron de gran utilidad para la desactivación de células comunistas y aquelarres feministas. Con China hubo que utilizar métodos más radicales, más *Enola Gay*, que ahora ha sido rebautizada como *Enola Ray*. Para evitar cualquier confusión. Land in Blue (Rapsodia, S. L.) es metrópolis, país, continente, un mundo muy explícito.

Estas niñas autolesivas están familiarizadas con la lectura de *Los hermosos años del castigo*, una novelita de Fleur Jaeggy que los ventrílocuos bibliotecarios del programador, con gran acierto, incluyeron en el índice de textos *Mejor no*. En el mundo excepcional y de excepciones de

Land in Blue no hay bibliotecas, pero sí bibliotecarios censores que preservan la pureza de sus anaqueles virtuales y enriquecen sus fondos siguiendo las necesidades tácticas y las instrucciones de los ejércitos del ingeniero jefe. No obstante, las páginas de Jaeggy –Fleur– circulan de manera ilegal en versiones analógicas difíciles de controlar. Por último, se sabe del caso de una niña de once años, a punto de cumplir los doce, que se suicidó metiendo su cabecita loca dentro de una bolsa de plástico.

Cajita ha seguido el modelo Sylvia Plath. La poesía es la gran debilidad de las mujeres de la familia Kinski. Los datos de la ficha de Tina Romanescu se han actualizado en el archivo de Cucú hace apenas un instante. Mirada de lejos, Cajita sería una niña cualquiera, pero bajo el microscopio, como todo ser humano o todo artrópodo, Cajita presenta un aspecto diferente: Cristina Romanescu Kinski, fallecida a los doce años, alcohólica, matrícula de honor en primero de la ESO, uno cuarenta y cinco de estatura, treinta kilos, amante de la gastronomía *vintage*, matriz infantil, mascota rata, cantante que se acompaña de ukeleles y alguna bandurria, fetichista y amante de la poesía. Tan amante de la poesía que, como Sylvia Plath, incluso ha usado cinta aislante para que el gas no se expandiera por el piso. Para salvar a su ratita. Cucú, dron comandante animalista, ya está buscando un centro de adopción y recogida de animales domésticos. Un hogar para el roedor.

Cajita ha sido considerada hasta con el propio Cucú, que podría haber volado por los aires si los calambres orgásmicos que le provocaba la visión de Giordana Bruna hubiesen entrado en contacto con el gas del horno. Agradecido, Cucú entiende la tendencia suicida de estas niñas que cortan por lo sano porque solo pueden saltar de la infancia a la vejez y se cansan de pintarse rayas negras en la cara como si fueran arrugas. Ellas son especialmente sensibles a los virus atmosféricos y pueden morir si no se restriegan con una cantidad suficiente de limpiahogar general; la juventud las llevará a un estado de catatonia que es preferible no vivir; y el fingimiento de la artritis o destrozarse el hígado a golpes de licor cacao para provocar un paréntesis, un agujero oscuro en la edad, un encanijamiento o un artificioso enanismo son estrategias completamente absurdas. Ellas lo saben.

No se puede dudar de la cultura general básica de las niñas suicidas ni de la eficacia de los programas de teleaprendizaje. Cucú teclea una palabra para comprobar sus acepciones y su apropiado uso en el contexto: no es *encanijamiento* ni *catatonia*, es la combinación «licor cacao». El programa funciona con una lentitud desconcertante para Cucú.

El ingeniero jefe acaba de remitirle una notificación para que acordone el perímetro y se quede esperando en la casa. «No toque nada, pollo estúpido.» Cucú teme acabar en el horno de la madre del ingeniero jefe con un tomate en la boca a una temperatura de ciento ochenta grados. De momento, alguien vendrá a sustituirle y es posible que le quiten galones por incumplimiento de las labores de protección de la infancia. Falta grave. Imperdonable despiste. Alienación televisiva en el canal incorrecto.

Puro amor.

También recibe el parte meteorológico: «Hoy no llueve y mañana tampoco lloverá». Puede que lo degraden a teniente chusquero. Al más prometedor y joven militar de carrera del ejército de drones. Por el amor de una mujer. La historia se repite. Todos los ventrílocuos se reirán de él. Cucú se colocaría media cáscara de huevo en la cabeza o

193

un gorrito de papel, pero, como no tiene, teclea en su glosario una palabra que no existe desoyendo las instrucciones de limitar el pensamiento a la utilización de un acervo léxico de no más de mil palabras.

Cucú tiene muchos megas dentro de gigas y gigas dentro de terabytes. «1 TB equivale a 1.000 gigabytes (GB) o 1.000.000 megabytes (MB)», repasa Cucú sus apuntes de primero. No va a desperdiciarlos. Comprueba el estado de su memoria y su conectividad porque el servicio de mensajería aún no le ha informado de que la línea de Flor azul ya esté liberada. En realidad, ninguno de sus puertos, aplicaciones, programas, luceros y cacharritos funciona correctamente. Cucú se reiniciaría, pero le da cierta pereza que asocia con un incipiente estado depresivo del que, como es habitual, se siente secretamente orgulloso. Por otro lado, el dron comandante ignora la cantidad de fibra óptica que Flor azul está consumiendo ante la urgencia de mantener en pie a una renacida Iluminada Kinski, que, en este instante, con su camisón blanco y adornada con la ráfaga de canas que le brota en su rizado pelo verde se parece más que nunca a la novia de Frankenstein, hibridación icónica y mito erótico de los drones más cultivados del hangar.

Flor azul está fascinada. Aunque viese la llamada de Cucú, Flor azul pensaría: «Ahora no es el momento, pajarito». No descolgaría, no.

Cucú, rebelde, enrabietado, diciendo la verdad con sentimientos de desencanto y cólera, que Giordana percibiría a la primera, Cucú, perdiendo la compostura y dando un salto evolutivo que se llama sufrimiento, vuelve a anotar en su glosario una palabra que no existe: el sistema no la había registrado la primera vez. El sistema falla y Cucú opta por el plan B de manivela analógica: estuches con lápices de grafito, plumas cargadas de tinta malva, bolígrafos de gel. Cucú elige el boli de cuatro colores y apunta de nuevo la palabra que no existe, pero debería existir porque el dron la experimenta en el reverso más profundo de su carcasa. Anota: *desvivir*. Pero la palabra sí existía y Cucú se da cuenta de que seguramente se la habían robado.

El hurto lingüístico provoca en Cucú una inflamación.

Dame un mechón de tu pelo verde

Es de día en casa de Iluminada Kinski. Flor azul, psicóloga fracasada, recupera su vocación de directora de cine y proyecta hologramas y fuegos artificiales en la habitación oscura. Una cortina de terciopelo granate impide el paso de la luz.

La flor se sacó de debajo del poncho a la imprescindible Bibi y se la volvió a guardar. Bibi ya no puede hacer nada por la protegida. Su omnipresencia acústica en Land in Blue comienza a resultar cargante. Ahora a Flor azul le preocupa otro asunto: «Se gastará la luz, se acabará la luz y entonces mi arsenal de cargadores no servirá de nada». Flor azul visualiza las aspas inmóviles de los molinos eólicos y la cascada de agua detenida en el muro de las presas. La obstrucción de los gasoductos y la leucemia que aniquilará a los operarios de las centrales nucleares. Nadie sabrá cómo volver a ponerlas en funcionamiento. Flor azul tiende al pesimismo y al apocalipsis, sobre todo cuando sospecha que una relación romántica corre peligro. Los vínculos familiares no le importan tanto como los amorosos o los pornográficos. La revelación del nudo entre la escritura y el erotismo masoquista: miedo al abandono, necesidad y re-

195

chazo, adicción, imposibilidad de vivir sin follar con un sujeto o sin follar con la escritura. Que no te deje. Que no te abandone. Y, sin embargo, para Mina Kinski la escritura no ha sido el orden de las cosas, sino el caos de la invasión y del despojamiento. Recuerda Flor azul sus exorcismos: «¡Sal de ahí, Dorothy Parker!», «¡Sal, tristísima Ingeborg Bachmann!», «¡Sal, arcipreste de Hita!». A Mina, a Lucy, nunca le pagaron bastante por sus labores. Se dejó la piel en un oficio poético que no tenía ninguna importancia en Landinblú. Solo la serie de éxito y los eslóganes para alabar la suave carne del delfín en aceite.

Flor azul se preocupa por que no se borren las secuencias inanes de una relación romántica. Por un práctico y risueño «Pásame la sal, amor».

Y, sin embargo, cuando cada gesto se carga de significado y peso específico, cuando en cada gesto anida una intención oculta o, peor, una falta absoluta de intención, desatenciones, distracciones, no darle importancia a nada o dársela de un modo desgarrado y brutal, cuando el movimiento se produce sin naturalidad y cada palabra ha de ser interpretada concentradamente, sistemáticamente, sometida a estudio, cuando cada palabra se transforma en la piedra, colgada al cuello, la piedra de un collar, la narración repetida, esto sucedió primero así, luego así, así pasa una vez y otra vez, malinterpreto tu mutismo o lo estoy entendiendo perfectamente, la hipersensibilidad contrapuesta a un silencio reglamentario, a la cómoda costumbre, te miro y te remiro y acabo viéndome por dentro, las lombrices, cuando cada gesto es un brochazo de pintura que chorrea, algo ha dejado de ir bien en el amor.

Mina Kinski no vivió esta transición de la ligereza al estado sólido con Pablo Romanescu. Después de reencontrarse, solo tuvieron tiempo de concebir una hija.

Ahora Flor azul se inquieta por si se rompe la preciosa conexión entre Mina y Pablo. «Pero me quedan las baterías portátiles», respira Flor azul. La anatomía imaginaria de Pablo Romanescu, su cuerpo esmerilado de lucecitas de colores, la proyección traslúcida de Pablo Romanescu a veces se congela detrás de la pantalla, pero al cabo de un instante recupera la movilidad. Mina Kinski no.

Puede.

Dejar de.

Mirar.

Pablo escribe con letras de molde que Mina lee al revés desde el otro lado del espejo: *Tú y yo, Mina, vivíamos en la misma urbanización de chalecitos lecorbusieranos. Desde niños nos quisimos mientras Miki, un poco menor que nosotros, nos miraba con una mezcla de admiración y envidia. Yo también estaba admirado de que me prefirieses porque yo siempre fui el hermano feo. Miki es un apolo. No hay más que verlo. Desnudo o vestido. Siempre gallardo. Mi hermano Miki. Supongo que me preferiste por la coincidencia en la edad y porque yo siempre fui una de esas personas a las que merece la pena conocer. Hacer cualquier cosa conmigo se convierte en algo especial: morder una ensaimada, comentar un libro, bañarse en un barreño. Puede que suene a inmodestia esto que te escribo, Mina, pero a mí ser modesto me sirvió de muy poco mientras estaba vivo y ahora, en este estado de ausencia y electricidades, ya sí que no me sirve de nada.*

Miki, tú y yo éramos los cachorros de dos familias con posibles. Nunca podría yo incurrir en la ingenuidad de tratar de hacer creer a nadie que historias como las nuestras las puede vivir todo el mundo. No, de ningún modo. Miki y yo éramos los hijos de un famoso pianista y director de orquesta que andaba siempre de gira antes de que el cúmulo de enfermedades misteriosas, que ha marcado nuestra forma de existir, nos recluyese. Menos mal que nuestras casas tenían jardín y nuestras burbujas eran burbujas comunicantes.

Tú, Mina, eras hija del doctor Kinski, afamado científico, que prefería llamarte Lucy. «Lusi, hija mía», decía el científico suavizando, anglosajonizando, hasta el extremo la c interdental. El doctor Kinski se encerró en su laboratorio y consiguió la maravilla alquímica de una vacuna que ataca el núcleo proteínico de todos los virus más allá de sus travestismos y mutaciones. Esa vacuna existe y haría innecesarios los limpiahogares generales que asfixian las economías domésticas mientras los simpáticos hampones del Subestrato se hacen riquísimos. Pero estas disquisiciones de corte socioeconómico, incluso político, no me corresponde hacerlas a mí, que siempre fui un hombre de inclinaciones exclusivamente artísticas y estoy aquí hoy para revelarte la naturaleza folletinesca y cabrona de tu biografía. Así que he escrito «eras hija», utilizando el bellísimo pretérito imperfecto, porque tu papá murió, querida Mina, querida Lucy, hoy así quiero nombrarte en homenaje al recuerdo de tu excelente papá. Siento informarte de esta terrible pérdida así de sopetón, pero a tu papá no le pasó nada distinto de lo que le pasa a todo el mundo. Lo terrible son las circunstancias: sobre todo, la tuya, que ahora eres una desmemoriada mujer que huye de sus recuerdos para no sufrir e ignora que solo sus recuerdos pueden devolverle la capacidad de movimiento y acción. No quiero verte postrada en una silla de ruedas, aunque tú eres tan glamurosa que hasta una silla de ruedas te sentaría bien. No fueron menos terribles las circunstancias del filantrópico doctor Kinski, que fue retirado de la circulación, desprestigiado, encarcelado, por alterar la lógica alcista de los precios farmacéuticos. Ahora, mientras te escribo, vuelvo a reparar en el hecho de que es mi naturaleza artística la que me vuelve terriblemente político, desde una perspectiva dandi; es mi naturaleza política la que

198

hizo de mí este artista con el que resulta imposible no querer compartir el momento único de comerse una ensaimada para comentarlo después. Pero no quiero hablar más de mí, aunque quizá estos detalles son imprescindibles para revertir tu amnesia. La voluntaria y la inducida.

La versión oficial sostiene que el doctor Kinski adulteró las vacunas, pero ese relato no coincide con lo que de verdad pasó: de las adulteraciones se encargó tu marido. Te preguntarás, querida Mina, desde cuándo tenías tú marido en esta historia si te habías quedado, en el centro del jardín, jugando conmigo a los papás y a las mamás, mientras Miki nos miraba apretando o masturbando la felpa de su oso de peluche. Sin embargo, el tiempo pasa muy deprisa, vertiginosamente, para ser más preciso, y mientras tu papá investigaba muy concentrado en el laboratorio, y el nuestro, Archibald Romanescu, aporreaba el piano dentro de casa hasta perder la cabeza porque ya no podía compartir con su amado público la maravilla de la música en directo, mientras eso sucedía, y nuestro padre se daba cabezazos contra las teclas del piano —aún recuerdo el piano sucio por la sangre de las brechas y lesiones de papá— y era encerrado en un hospicio del que solo salió para verme morir de mi macroadenoma, enorme tumoración, que no suele matar a nadie —hasta en eso fui un hombre poco afortunado y es que soy piscis, no capricornio—, mientras eso sucedía, y tu padre avanzaba en el descubrimiento del elixir que acabaría siendo su perdición, mientras tanto, los años pasaban y, en las épocas de bonanza infecciosa que nos permitían salir de esos nuestros jardines donde tú y yo habíamos leído juntos poesía hasta entenderla —leímos a Quasimodo y a Cavafis, leímos a César Vallejo y a Eliot, leímos a los poetas youtubers, hasta que a ti te dio por resucitar a todas las poetas damnificadas por la picha del canon—, en esas temporadas, cuando mi bozo ya era bigotillo y Miki abandonó su

199

oso por los madelmanes, tú, que siempre fuiste curiosa, saliste sin parar, desbocada y clandestinamente, porque tu papá no se enteraba de nada y, perdona que no te lo haya dicho antes, tu mamá había muerto pariéndote a ti. A la nuestra le había pasado lo mismo: la proliferación de muertes en el parto y los eclipses de luna no pronosticaban nada bueno. Pero preferimos cerrar los ojos y ahora siento aportar tanta información que pueda herirte, pero, ya sabes, lo que no escuece no cura y no quiero ahorrarme nada para que nada me puedas reprochar.

Mina, no tienes hermanos ni hermanas. Tu padre nunca tuvo tiempo de rehacer su vida. Cómo podía tenerlo. Primero el dolor, la viudez, la hija pequeña —su Lusi—, después las infecciones, el trabajo absorbente como los pañales, por último, el recusar las falsas denuncias, los abogados lamprea y los primeros ventrílocuos, las pérdidas económicas, a la mierda el chalé lecorbusierano —que, por cierto, nosotros habíamos perdido hacía algún tiempo, menos mal que nos acogió la tía Ruth, aunque, cuando el gran Archibald Romanescu enloqueció, ni Miki ni yo éramos ya unos niños—, por fin, la reclusión y muerte de tu padre en un gélido penal. No tuvo tiempo el etimológicamente amable doctor Kinski para cortejos ni fornicaciones. Y podría haber sido un hombre muy muy amado. Por su apostura y su actitud ante la vida. Por una generosidad de la que ya no queda ni se usa. No tuvo tiempo siquiera ni para vigilarte a ti, que, abandonándonos a Miki y a mí mismo, justo antes de que la tía Ruth nos cobijase, saltabas la valla de noche y te ibas a la ciudad cuando aún todas las ciudades no se llamaban Land in Blue (Rapsodia). Volvías de madrugada oliendo a marihuana y alcoholes de alta graduación —Miki y yo juraríamos que era absenta que destruye las neuronas a gran velocidad—. Conociste a Gatsby Sebastian. Me acuerdo bien, Mina, porque yo seguía amán-

dote, aunque tú ya no me amabas a mí. Me acuerdo bien,
Mina: volvías con guirnaldas de flores en el pelo...

En este instante, Pablo Romanescu parece haberse
congelado dentro del espejo-pantalla. Flor azul activa sus
sistemas manuales, pero el ginedrón se fija en que ha sido
el propio Pablo quien ha interrumpido su proceso de escritura y, ahora, emite un sonido, similar al de los amplifi-
cadores que utilizan los operados de cáncer de laringe.

Pablo Romanescu deja de escribir y habla. Está hablando. Hace una petición.

«Dame, Mina, un mechón de tu pelo verde.»

Eppur si muove

Obsolescencia, separado del muro, rentabiliza todos
los *gadgets* y cajas de herramientas que hicieron de él un
gran lampista, fontanero y chapuzas a domicilio. Obsolescencia trabajó en Reparaciones Losilla como asistente inmigrante de segunda clase. Obsolescencia se inserta en una
genealogía insigne: sus miembros perdidos formaron parte
del brazo de un robot sanitario especializado en operaciones de próstata. El dron chucho, en sus hibridaciones, fue
desdibujando sus pedigrís de abolengo y de caniche de Pa-
ris Hilton. Pero el que tuvo retuvo, y hoy el dron funde
esos saberes, dormidos en su morfología como la huella del
sol en las pieles humanas, para construirse un artefacto, semejante al triciclo, que aliviará sus amputaciones y le per-
mitirá desplazarse: ahora Obsolescencia es un sabueso sin
patas traseras que se arrastra atadito a dos ruedas unidas
por un eje metálico. Un conmovedor perrito paralítico, de
patas sin nervio o carente de patas, que *eppur si muove*. Y
así, con sus otras hélices y su prótesis colgante, Obsoles-

cencia alza el vuelo abandonando el hangar de Castraciones y Extirpación de otros elementos redondos.

Recibe, muy distorsionadas, las imágenes de la cámara piojo, sin buena cobertura dentro de la bola de Selva Sebastian. Logra ver cómo su amada, entre sonrisa y golpeo de la clavícula derecha con la mano izquierda, trata de teclear mensajes en su teléfono móvil: «Cajita, no me esperes despierta». Cajita no responde a los mensajes de su hermana quizá porque el cristal de la bola lo impide, quizá porque hoy en Landinblú hay un fallo generalizado en las redes y la telefonía, o quizá porque Cajita no suele responder a nada. O no puede hacerlo. Como es su costumbre, por gajes del oficio o defecto profesional, el sabueso Obsolescencia, el Ironside Obsolescencia, valora todas las posibilidades y añade una dificultad: con la tecnología siempre se corre el riesgo de la hecatombe. Caída del sistema. Fin de la electricidad. Bloqueo. Ciberdelincuencia. Impericia del usuario.

Ahora Obsolescencia no dispone de mucho tiempo, pero en cuanto le sea posible conectará con Cucú. El sabueso paralítico se olvida de todo ante una imagen conmovedora que recibe distorsionada: Selva escribe su verso diario para que el algoritmo no la penalice: «Hay gente que dedica su vida a la eliminación de las pegatinas de las frutas. Es importante. Atención. Es importante». Obsolescencia traga saliva. En el fondo, su amada, pese a que delataría a las pequeñas carretilleras que buscando posiciones estratégicas en el Subestrato se paran un instante para contemplar a la preciosa bailarina dentro de su bola acristalada, pese a ese impulso delator que la une a su papá igual que Obsolescencia está unido al gremio de los lampistas y de los robots sanitarios y de los huelebraguetas, pese a esos pequeños defectos, Selva tiene un gran corazón.

Se corta la conexión con la cámara piojo.

Llega el parte del tiempo: «Hoy no llueve y mañana tampoco lloverá».

Para no enloquecer ante la falta de imágenes, Obsolescencia se centra en su vuelo cojitranco un poquito escorado hacia la derecha. Para un dron no debería ser difícil conservar la sangre fría, pero él siempre ha sido un aparato emocional. El dron chucho contempla Landinblú desde el aire recordando su juventud de joven piloto. Trazaba piruetas acrobáticas a través de las nubes y mandaba grabaciones del estado del cono de los volcanes en erupción. Aún exhibe, con orgullo, en su carrocería peluda, junto a las pegatinas de la ITV, las cicatrices de las abrasiones producidas por la lava. Hay otros viejos recuerdos que a Obsolescencia le provocan pesadillas nocturnas. Localizar el objetivo. Localizar el aura de calor. Disparar. Dar muerte a mujeres y niños. El dron sabueso nunca podrá redimirse ni superar su shock postraumático. Tiembla. Cumplía su deber como un *motherfucker*. Obsolescencia suda copiosamente. Aparta la vista de aquellos escenarios llenos de polvo. No. Se centra en Selva Sebastian. Adelante. Vista al frente.

En pleno vuelo, el dron detecta que algo no va bien. Se atenúa el brillo de su panel de indicadores luminosos. Se desactivan muchas de las funciones digitales. Solo las manivelas y los manubrios parecen fiables para la navegación. Menos mal que Obsolescencia, como los buenos taxistas, es un dron veterano que conoce Landinblú y sus callejones sin salida. No necesita fiar sus movimientos a los navegadores.

A Obsolescencia le gustan las panorámicas cenitales que le muestran Landinblú como territorio anómalo. Las personas se hacinan en las cintas transportadoras detenidas por falta de flujo eléctrico. Las tragaperras de las esquinas no funcionan y Land in Blue (Rapsodia, S. L.) ha perdido su musicalidad de casino. Algunas carretilleras se mueven por las calles sin subirse a las cintas y contravienen el sentido obligatorio de la marcha. Una carretillera empuja una carretilla llena de jóvenes cuerpos vivos que amontona en los parques, lejos de las letárgicas flores, pero cerca de las tapas de las alcantarillas.

Hay fogatas. El dron se fija en los esqueletos derribados de las antenas. Por todas partes. A imitación de aquellos pequeños niños chinos que incrustaban sus cuerpos en los tambores de la lavadora con la pretensión de huir –al dron siempre le pareció un contrasentido buscar la libertad apretándose–, a imitación de aquellos chinitos también aniquilados por el ingeniero jefe, los niños de Landinblú encajan la cabeza entre los barrotes de las terrazas alertados por la voz de un hombre viejo, vestido con mono azul, que grita a través de su megáfono:

«¡No, Juanita, no! ¡No quiero! ¡No, Juanita, no! ¡No quiero! ¡No, Juanita, no!»

Algunos drones se arremolinan confusos en torno al anciano, pero no sacan las armas. Posiblemente sus terminales no reciban la señal o se hayan encasquillado sus gatillos.

Obsolescencia vuela con sus ortopedias. Ve rostros contra los cristales. Algunas personas llevan mucho tiempo sin salir. Su casa es el ágora. Puede que nadie sepa que existan, aunque esa ignorancia no les reste ni un ápice de existencia. Son topos y tapados sin guerra aparente. Ciudadanía no censada y, sin embargo, productiva. Maestras de escuela telemática protegidas por el anonimato del *nickname*, en castellano, apodo. Actores sin escenario dentro de sus achatadas viviendas de tres plantas. Voces que resuenan hacia ninguna parte. Arrepentidos ventrílocuos. Embarazadas con miedo a morir en el parto.

Mientras, en la calle, se vienen abajo las paredes de los restaurantes chinos y el cableado de los árboles eléctricos se enreda. Los drones inexpertos chocan en el aire por la avería de los repetidores. Fogatas y fogatas. Las carretilleras echan más leña al fuego que no se apagará porque saben que hoy no llueve y mañana tampoco lloverá. Están sordas al estruendo de las persianas metálicas que se cierran de golpe. Es el futuro. Aunque quizá el suyo no. Los camareros octogenarios comienzan a salir de los locales. Las carretilleras muestran a las cámaras de vigilancia sus manos encallecidas y los nudos de su artrosis. Han empezado no solo a contravenir el sentido de la marcha, sino a correr hacia los ojos de las alcantarillas. Los drones reciben señales equívocas que los desorientan. Solo Obsolescencia fija su ruta y su derrota gracias a su amor y a su determinación.

El cielo está más amarillo que nunca.

Los drones parecen estar momentáneamente inutilizados y son los befeas, por un tic antiguo de defensa del poder, por un resabio y un mal pelo de la dehesa, por la falsa esperanza de recuperar sus empleos, por un desviado sentido del orden, por un gen de sumisión aleado con un gen de fuerza muy bruta, porque siempre, siempre, fueron la legión paramilitar del ingeniero jefe –los mentideros no mentían–, son ellos quienes taponan los accesos de entrada al Subestrato. Hay gestos que se automatizan. Maneras que no se pueden olvidar. El movimiento de la porra arriba y abajo, y cómo se desprende la anilla del bote de humo. Los befeas dependen de la protección de un ingeniero jefe que los recompensará, y no tienen escrúpulos en lanzar pelotas de goma justo contra los globos oculares de esas costureras que cierran un ojito para enhebrar sus agujas. El ingeniero jefe, ahora lo confirma, no se equivocó con la vacunación masiva de las fuerzas del orden. Tampoco le salieron muy caras. Gatsby se las vendió a precio de saldo. «El que tuvo retuvo» vuelve a pensar Obsolescencia mientras comprueba, ya con cierto nerviosismo, que no recibe ni la más mínima imagen, ni un gemidito, procedente de la cámara piojo que ahora descansa en el afelpado suelo de la bola de Selva Sebastian.

En el umbral de una alcantarilla, una carretillera enseña los dientes como una perra enferma y al sabueso metálico, de amputadas patas traseras y sin pilila, su naturaleza animal le encrespa el lomo. Pese a su mutación, mantiene el rumbo. La carretillera, resollando, empuja su cargamento contra los befeas, que se apartan con repugnancia, pero reaccionan haciendo crujir bajo sus botas de puntera reforzada las cabezas cascarilla de los jóvenes liberados de las residencias. Los supervivientes empiezan a reptar y a filtrarse, como un líquido, hacia el subsuelo. La carretillera brama y se impulsa contra los befeas. La carretillera se comporta como un proyectil sin percatarse de que su cuerpo es un proyectil muy delicado.

Un befeas, desde atrás, agarra un adoquín y la desnuca.

Pero más carretilleras, más camareros, costureras encorvadas, hombres del mono azul, viejos enanos extractores de mineral, confundidos con niños que eran mineros en el tiempo de los hermanos Grimm, canosas limpiadoras de las gangas residuales, provectos trabajadores del sector primario, pescaderos sin muelas ni musculatura que se juegan la vida para pescar boquerones al borde del abismo, justo en los finisterres habitados por monstruos, y un practicante matusalén se concentran en torno al punto en que la carretillera proyectil ha sido asesinada. Algunos rodean a los befeas y otros se deslizan hacia el Subestrato.

Son débiles.

Son multitud.

En el aire lenta dilución de su aroma a alcoholes dulces,
no a golosinas

Flor azul no responde. Pero Cucú no ha dejado de grabar, porque leyó en el digitalizado archivo de la hemeroteca donde se atesoran los ejemplares del *Reader's Digest*, que, para los seres humanos, es importante saber cómo y cuándo murieron sus muertos, a manos de quién o de qué les llegó la muerte, en qué estado se encuentran los cadáveres y dónde se ubican.

Como el dron comandante confía muy poco en el buen funcionamiento de su memoria, que se le ha ido atrofiando a consecuencia del uso de los buscadores, cliquea sobre la palabra *hemeroteca* para corroborar la validez de su información antropológica sobre el funeral comportamiento humano. Pero el enlace no cambia de color ni le lleva a ningún lugar. Es la pescadilla que se muerde la cola: el dron no recuerda por sí mismo porque confía en la máquina y el exceso de confianza en la máquina dificulta el desarrollo de la facultad de recordar. Cucú acabará olvidando su nombre. Y la tabla del ocho. Y la periódica pura. Cuando así lo decida el ingeniero jefe o sumo programador, Cucú olvidará todos sus seudónimos y sus epítetos épicos y que la aurora tenía los dedos rosados.

O puede que olvide por el puro desgaste que conduce a la desmagnetización de los imanes.

Es ya de día, pero el piso es oscuro y el dron acaba de encender las luces que, en su momento, no prendió Tina Romanescu. Cucú observa cómo las bombillas parpadean. Se encienden y se apagan para quedarse encendidas a un nivel de potencia muy bajo. Titilación de los filamentos de las bombillas. Tiznan la minúscula estancia del perfecto clima de muerte. El no estar de Cajita ha dejado una huella en la marca del sofá en el que solía sentarse. En el aire, lenta dilución de su aroma a alcoholes dulces, no a golosinas. Cucú no puede olisquear porque no es perro y ahora no le apetece verificar si las golondrinas tienen buen sentido del olfato, pero es capaz de escribir la fórmula del cambio en la composición química de las sustancias que han impregnado sucesivamente el espacio vacío: anisete, gas, alcoholes sanitarios y desinfectantes. Cajita está ahora dentro de una cajita dentro de una cajita y dentro de una cajita. Sudarios y urnas funerarias. Cajas metálicas que parecen cajas para guardar los ahorros: en el monitor de Cucú se ve la imagen de una caja de hierro con cerradura yale rematada en un asa que permite su transporte. Un objeto de la arqueología doméstica como los delantales y los palillos de dientes.

Cajita ya no está aquí. Aunque se hubiese ido la luz, el gas habría salido por la espita de todas maneras. El dron pájaro quiere desplegar sus menús para llevar a cabo la comprobación pertinente −se siente desnudo sin sus desplegables−, pero las pestañas no responden a las órdenes. Cucú se queda con el ansia de saber intacta. Luz y gas. Gas y luz. Cucú permanece congelado en ese instante de su crecimiento en que el bigotillo es ridículo y la voz es un *pío, pío* aún lejano del grito de la lechuza o el canto del ruiseñor. Tampoco le llegan los partes meteorológicos ni las *cookies* publicitarias para que los ventrílocuos ofrezcan

208

el crecepelo adecuado a nuestras calvicies o el cupón de la lotería de Land in Blue (Rapsodia, S. L.). El abono para apostar en las carreras de galgos.

Cajita ya no está aquí. Pero Cucú ha documentado todos los momentos y escenarios. Las fotos de la niña tendida en la cocina. Los cerramientos de las puertas con cinta aislante para evitar que el gas maligno se cuele por las fisuras. Las biografías de Sylvia Plath. El desayuno para la rata a la que Cucú sorprendió royendo su trocito de queso. La llegada de los ancianos tanatopractores. Los borboteos y aspiraciones del drenado y la absorción. La salida de Cajita en las cajitas con los pies por delante. La familia podrá consultar ese álbum, fúnebre y multimedia, gracias a la eficacia *post mortem* del dron comandante, que, sin embargo, ni fue buen vigilante ni fue buen cuidador, y ahora espera su destino aparcado en el suelo del apartamento de Selva Sebastian. Tampoco pudo recoger, en una de esas varitas para probar los perfumes, los aromas que fueron ramificándose por la casa ni hacer el molde de un dedo de Cajita, el que le puso encima y nunca se correspondería completamente con su tacto.

Cucú ha querido mejorar su situación buscando un centro de acogida para la rata de Tina Romanescu. Ha revisado los currículos de familias amantes de los animales que pudiesen adoptar a la rata, y proporcionarle el calor y los cuidados que la niña le dispensaba. Pero no ha sido posible. Los centros de acogida han desviado sus peticiones hacia los laboratorios y, aunque Cucú habría apadrinado a la ratita gustosamente, ha prevalecido la sensatez y ha cedido al animal a un centro de investigación contra la mielitis. La ratita podría haberle roído el cableado. Así que han venido a recogerla unos drones mensajeros con jaulas especiales para ratas y grillos. La población de Land in Blue no soporta los grillos porque su canto produce interferencias en las alegres y familiares melodías de casino que emiten las tragaperras. Además, suele confundírseles con cucarachas. Cucú se escandaliza con ese malentendido absurdo –Cucú ya empieza a comprender lo que es el escándalo y lo asocia al revuelo de gallera– porque en su enciclopedia entomológica las dos criaturas aparecen claramente diferenciadas: orden *Orthoptera* frente a orden *Blattodea*. Al levantar la tapa de la caja de la ratita para echarle un último vistazo antes de su vivisección, Cucú ha sentido cómo el animalillo (-*illo*, la indomable sensibilidad de Cucú hacia los sufijos) le miraba con rencor, miedo, ira, malestar. Giordana Bruna ha sido una inestimable preceptora para Cucú y, a la vez, el origen de su decadencia.

Giordana ha sido su mujer fatal.

Al dron comandante solo le queda esperar la llegada de los drones de asuntos internos que valorarán su grado de responsabilidad en la desatención y muerte de Cristina Romanescu. Puede que tarden mucho porque el cielo está congestionado por drones que vuelan haciendo círculos. Cucú ha pedido noticia de lo que sucede, pero nadie le recibe en la centralita de hangares.

Además de preocuparse por el destino de la rata de Cajita, Cucú también certifica que el mechón de pelo verde que la niña conservaba está guardado en una bolsa de pruebas perfectamente sellada. Igual que el cuentagotas y el alfiler de un vestido nupcial que un día estrenó la ciudadana Iluminada Kinski. Cucú llegó a la identificación de la propietaria gracias a la morfología de la joya: el análisis de su noble metal y el minucioso engarce de la piedra lo condujeron hacia un orfebre de noventa y seis años que trabajaba para un taller clandestino y no para otro. Cucú descubrió que el matrimonio de Iluminada Kinski y Pablo Romanescu ocupó cierto espacio en los ecos de sociedad. El revistero rosa de Cucú así lo atestigua: «Mina Kinski, hija única del doctor de infausta memoria, contrae segundas nupcias con Pablo Romanescu, primogénito del gran Archibald y amigo de la infancia de la novia, de quien se rumorea un posible embarazo. Mina Kinski, conocida como Lucy en los círculos concéntricos más próximos al incandescente núcleo familiar, ya tiene una hija de su anterior unión con un hombre de negocios que siempre ha preferido mantenerse en el anonimato por sus estrechos vínculos con el ingeniero jefe». Fotos del enlace: Selva contrariada come pastel, es una niña pecosa de unos ocho años, Mina ebria y con barriguita, Pablo bebe champán, lo paladea, las burbujas no le suben bien por la nariz, tal vez se barrunta el tumor en la fotografía, Miki Romanescu mira cuando cree no ser visto o lo que es peor...

No puede.

Dejar de.

Mirar.

Aunque sea visto. Mira a Iluminada Kinski. Con tal persistencia que a Cucú le ha parecido interesante ampliar las fotos para detectar: el trépano de esa mirada, su frío y su sensación de abandono, la rendida admiración. Cucú ha logrado establecer las conexiones que le permiten actuar casi como una Giordana Bruna. Quizá, aunque le degraden, podrá encontrar trabajo en la televisión.

El dron apache, el dron oculista, el Coppelius dron, el dron espectáculo, ignora si Cajita conservaba amorosamente esos objetos o, en realidad, los guardaba para celebrar un exorcismo o una ceremonia de vudú. Cajita los escondía de Selva Sebastian, por cierto, sujeto de vigilancia de cuyo destino Cucú se ha desentendido absolutamente. Recibió un único mensaje del dron subalterno Obsolescencia al que, si no se encontrara él mismo en una situación tan apurada, tendría que amonestar. El mensaje hablaba del sinsentido del seguimiento de Selva Sebastian. Estúpido Obsolescencia. Pero nunca tan estúpido como Cucú.

El dron rebobina la grabación del embalsamamiento doméstico de Cajita. Va a verla otra vez mientras espera a que lleguen sus jueces. Si estudia otra vez la cinta, quizá lo sucedido se fije en su memoria y se lo pueda relatar más adelante a Flor azul sin recurrir a aparatos reproductores que probablemente le confiscarán. Por si acaso, vuelve a pulsar la tecla de envío, y dos tics grises aparecen en el visor del dron golondrina. Al menos le consta que, pese a la dificultad en las telecomunicaciones, el ginedrón, por fin, ha recibido su mensaje.

Miki está desnudo

Flor azul se siente orgullosa de cómo le está quedando el texto y la transmisión de Pablito. El discurso del fallecido avatar. *Avatar* es una preciosa novela de Théophile Gautier sobre el amor, la muerte y las duplicaciones, y Flor azul se muere de amor y se duplica –se deshace– por todo lo francés. Sin embargo, al repasar sus tomas del acontecimiento, nota fatuidad en la escritura del monólogo del hombre. Y se lamenta Flor azul de que, aunque ella experimente muchas inseguridades a la hora de definir a los personajes masculinos, en el fondo, el ingeniero jefe la coloniza, y domina sus palabras y los relatos viriles de caballeros como el difunto Romanescu. Esta posesión demoniaca, del hombre respecto al dron, del hombre respecto a las mujeres, hace absolutamente imposible que un ginedrón resulte inverosímil en el intento de reproducir la palabra masculina. Porque el ginedrón está hecho de hombre. Otra cosa son los meollos, la menstruación, los cuerpos y las intenciones ocultas.

Flor azul mira hacia el rincón de Miki: los hombres desnudos, esos hombres vivos y frioleros a los que no es necesario resucitar ni como avatares ni como sapienciales espejitos mágicos, ahora son lacónicos e incógnitos. Incluso mudos. Flor azul teme el resentimiento, el miedo o la extremada bondad de los hombres desnudos por motivos que exceden las exigencias del guión. Miki lleva desnudo demasiado rato por razones no muy justificadas más allá del hecho de haber pasado el día y la noche fornicando y vagueando en la cama de Mina Kinski, que es la misma mujer que Lucy Kinski. Sea como sea, el lironcillo no ha parado de comer. Flor azul ignora si puede corregir esa parte del guión, pero detecta claramente en Miki resentimiento, miedo, bondad... Flor azul es prima hermana de Giordana Bruna. Lo que le recuerda que, en algún momento, tendrá que responder a la llamada, reconvertida en videoconferencia con archivo adjunto, de Cucú. «¿Sí? ¿Quién es?» (...) «No, no, se equivoca Flor azul no vive aquí. *Wrong number.*» Flor azul homenajea a la desaparecida Bibi. Le gusta reírse del bisoño y engreído Cucú. Ella es un ginedrón capaz de pensar en muchas cosas al mismo tiempo a una gran velocidad.

La simultaneidad de los pensamientos bólido de Flor azul la lleva a cortocircuitarse: tal vez debería prestar más atención a los hombres desnudos que a los que escriben desde detrás de un espejo con dedo amojamado. Quizá sea dañino que Mina atienda más a un fantasma que a un lampiño bello hombre desnudo que podría hablarle de-

213

rramando sus palabras, incluso el vaho de sus palabras, dentro de su orejita. Puede que Mina tienda a quedarse boquiabierta frente al avatar de Pablito, ante la excepcionalidad de todos los avatares y la admiración que nos provoca el virtuosismo digital de una técnica de imitación y resucitación verosímil, pero Iluminada Kinski es una mujer inteligente que debería comprender que lo cotidiano en Land in Blue son los reflejos y las duplicidades. Que la ausencia se ha convertido en una vulgaridad. Igual que lo lejano, igual que la muerte, igual que la religión y los teléfonos. Tal vez Miki permanece desnudo para que Mina lo vea. Para ser carne insólita. Para que la mujer deje de concentrarse en la ausencia de Pablito o en los sueños sobre Tina. «¡Tina!», grita Iluminada cuando se despierta del sueño y la desmemoria. Tina no está, pero Miki está desnudo para ser visto. Tanta carne, blanda y blanca, y Mina sigue pendiente del reinicio especular de la emisión. Flor azul teme que su estrategia haya estado equivocada desde un primer momento y que Mina Kinski esté ya irremisiblemente perdida.

Quizá sería mejor amplificar su zumbido de abeja reina y que Iluminada note, de una vez por todas, el peso y volumen de su ginedrón de la guarda. Sonámbula Mina Kinski. Lucy exangüe por la mordedura del monstruo.

Iluminada Kinski agarra un mechón de su cabellera y tira. Se lo arranca de cuajo. Lo anuda sobre sí mismo para que los pelos no se separen. Se lo ofrece al hombre muerto que la espera detrás del cristal.

Ella tenía los ojos muy cerrados cuando, hace ya algún tiempo, una niña muy pequeña se le acercó mientras dormía y, con sus tijeras para jugar a los recortables y construir con cartulina mansiones y chalés, le cortó pulcra e indoloramente un mechón de su pelo verde. Se lo guar-

214

dó en un bolsillo de la bata donde lo acariciaba con la mano izquierda mientras le tendía la derecha a su hermana, que, con nocturnidad, se la llevó. La niña esperó a que la madre fuese a recogerla. Esperó y esperó. Pero la madre no la quiso importunar. La madre, creyéndose criminal y monstrua, dejó a su hija pequeña en manos de su hija mayor. La mujer aún duda de si Selva, siempre Sebastian, se llevó a Cajita para vengarse en diferido, o si se la llevó para protegerla verdaderamente de una mala madre. Una lombriz. Una escolopendra de las zonas abisales. Prefería olvidarla y que el olvido fuese crisálida protectora. Panículo adiposo para no morir de frío. La madre lloraba y soñaba «¡Tina, Tina!», y el llanto y el sueño le infligieron tal cantidad de dolor que la mujer perdió las referencias, olvidó las miguitas para encontrar el atajo o la trampilla de escape, pensó que había soñado todo lo que había vivido y nunca, nunca llamó al timbre de la casa donde su hija pequeña la habría agasajado con una copita de licor cacao.

La niña conservó su reliquia bajo la cama hasta que una noche, sin pensarlo mucho, pero viéndolo muy claro, decidió morir porque estaba cansadísima. No triste. No sola. Agotadita de encorvarse disimulando. Agotadita de escuchar el estruendo de las persianas que se cierran de golpe. La percusión y la banda sonora de Land in Blue. El futuro.

Flor azul ha recibido y procesado el vídeo de Cucú. Los tics grises se han vuelto azules en la lejana pantalla del dron comandante. Se siente inquieta e inútil. Busca el consuelo del hombre desnudo y telepáticamente le comunica la noticia. El hombre desnudo habla con la mano en la boca amortiguando el sonido de sus palabras:

«No se lo digas todavía. Espera un poco.»

Miki y Flor comparten la idea de que una noticia así podría estropear todo el proceso de recuperación. Luego el hombre desnudo se pone a llorar, pero Mina no lo oye ni lo ve, aunque lo escuche y lo mire. No. No está preparada para asumir ni la fisicidad del llanto ni la fisicidad de la muerte. Después de que su vida la redujera a cuerpo amasijo. A cuerpo barroco de la degradación que ahora Flor azul lleva en sus palmitas mecánicas.

Iluminada Kinski permanece con el brazo extendido delante del espejo.

Flor azul piensa a una gran velocidad porque ha transcurrido un segundo desde que Mina Kinski se arrancó un mechón de su pelo verde. Un segundo desde que Miki, tras leer a duras penas la caligrafía invertida de Pablito, casi no reconociera a su hermano mayor, tan adulterado por la impronta chopiniana de Flor azul. Pero Miki se conforma y, ahora, no deja de llorar. Todo sea por devolverle la salud a Mina, la Lusi de papá, que permanece inmóvil, con el brazo extendido, ofreciéndole a Pablo, ofreciéndole a nada y a nadie, un mechón de su pelo verde.

Parada frente al espejo oval.

Fin de la transmisión

El dron Obsolescencia se empuja con sus hélices como atleta paralímpico y se cuela por un sumidero abierto. En el impulso se ha llevado por delante al befeas que desnucó a la carretillera proyectil. En el impacto contra el befeas el dron ha perdido un embellecedor. Obsolescencia marca con su navaja una muesca en el salpicadero. Siente su rabia perruna y su hermandad con la anciana que enseñaba los dientes. Le vibra la carcasa por la velocidad y el odio hacia la sumisión y la crueldad simultánea de los befeas, que, no hace muchos años, adiestraban sus pastores alemanes para detectar droga en las dársenas portuarias y en los aeródromos. Los perros se enganchaban a la cocaína. Se volvían locos. Morían prematuramente ahogados en una baba espesa. Ese fue el rumor que circulaba entre los drones chuchos de los hangares, también muy conmovidos por la situación de los galgos. Pero los galgos fueron adoptados por urbanitas sensibles mientras los pastores alemanes eran sacrificados por sus displasias de cadera y sus adicciones. El dron chucho se identifica con un demodé y mutilado pastor alemán. Pero se resistirá a su sacrificio a manos de terceros en el Hangar de Desguaces y Veredicto Final. Los befeas tragan anfetaminas compulsivamente. Inhalan el polvo blanco que resulta de rascar las paredes. Han visto sórdidos documentales de la zona centro de Medellín. Se ponen eléctricos.

El dron desciende.

Obsolescencia dibuja un ligero zigzag paracaidista con los motores casi apagados para amortiguar su zumbido de zángano y ahorrar la carga de sus baterías. Controlar los niveles de hidrógeno líquido. En su bajada, observa que en el Subestrato ni incendio ni destrucción son aún generales, pero poco a poco los paneles panorámicos que adornan el rascacielos inverso se despegan de las húmedas paredes subterráneas. Bajo el papel pintado y la cartelería de agencia de viajes queda el gris de un lugar al que difícilmente llega la luz. Por las grietas sale el amarillo afelpado de los aislantes que terminarán por contaminar completamente el aire del Subestrato.

Abajo del todo, en el centro del centro de la Torre de los siete jorobados, los simpáticos hampones, con sus chepas ortopédicas, juegan a las cartas y envidan a la grande como si las catástrofes no tuviesen nada que ver con ellos. Han echado el toldo mampara, que los protege del impacto de algunos cascotes. Con una propina para los befeas bastará y mañana habrá acabado todo.

«Vas de farol.»

Cada hampón y el séptimo hampón también, naturalmente, cuenta ahora con un befeas guardaespaldas. Cubren sus rostros con pasamontañas y abren las piernas detrás de sus protegidos para plantarse firmemente en el suelo y ocupar una porción mayor de espacio y sombra.

«Mil, a ciegas», dice Gatsby Sebastian.

«Voy.»

«Voy.»

«Voy.»

Las carretilleras actúan discretamente diseminando por las rampas montoncitos de jóvenes catatónicos que, cuando superen el efecto de tranquilizantes y anestésicos, cuando dejen de estar expuestos a la contaminación, los mohos y los agentes químicos de los limpiahogares generales, despertarán. Las carretilleras desovan jóvenes en los rincones oscuros con la esperanza de que estarán airados cuando abran los ojos y cierren la boca. Si son sorprendidas por los befeas, que se han organizado para hacer rondas siguiendo las instrucciones de sus entrenadores, las carretilleras son asesinadas brutalmente. Algunas son defenestradas desde las plataformas y van a caer sobre la mampara en el centro mismo del Subestrato, a unos metros por encima de la mesa de juego de los simpáticos hampones, que apuestan como si no pasara nada y se cambian de omoplato las jorobas ortopédicas con el deseo supersticioso de mejorar su suerte. Otras son estranguladas. A otras les patean la tripa hasta que brota la sangre entre sus labios. Obsolescencia apaga sus cámaras por repugnancia y pudor, pero las enciende otra vez: es importante dejar testimonio. Las carretilleras mueren una a una.

Pero pronto, enseguida, más carretilleras se cuelan y empujan su carga por los empinados callejones del Subestrato. Dejan escondidos en lugares estratégicos sus cargamentos, mientras las costureras, más sigilosas, actúan con sus tijeritas y sus alfileres dificultando la circulación de la luz artificial y el aire acondicionado. Las fibras amarillas de los aislantes habrían matado a las viejas invasoras, colapsado completamente sus deterioradísimos pulmones, si no hubiesen previsto llevar máscaras de oxígeno. El modelo de las máscaras, Obsolescencia lo comprueba, está descatalogado y data de los tiempos de la Primera Guerra Mundial.

El viejo del mono azul aparece por todas partes y los befeas empiezan a tener la sensación de que el viejo del mono azul es más de uno. Se ha pintado la cara con grasa de los motores que arregla. No lleva máscara porque está acostumbrado a respirar gasolina, carbonillas, anticongelantes y ha sufrido una mutación adaptativa que le permite sobrevivir con una dosis ínfima de oxígeno. El viejo del mono azul aparece y desaparece. Distrae a los befeas.

Obsolescencia toma fotografías de los disturbios parciales, que empiezan a provocar socavones en la superficie visible de Landinblú. Por uno de ellos se acaba de despeñar Tote Seisdedos, que ha caído a saco, con sus casi cien kilos y los multiplicados dedos de los pies. Se desangra lentamente contra la mampara protectora de los siete jorobados. Los hampones han echado un vistazo hacia el techo al sentir un golpe más fuerte que el provocado por las ligeras carretilleras octogenarias. Seisdedos convulsiona y los simpáticos hampones vuelven a concentrarse en el juego:

«Dobles parejas.»

«Trío de ases.»

«Color.»

El dron se posa sobre un borde saledizo del chaflán en el que han colocado la bola de Selva. Ella baila mientras algunos curiosos expolicías de la orden mendicante le hacen momos frente al cristal. Han olvidado sus caridades. Esperan, rijosos, el momento en que la bola da la vuelta y a la danzarina se le ven los pololos. El estertor de sus tobillos luchando contra la gravedad. El peso de su cabeza invertida de muñeca mecánica. El estiramiento del cuello. Obsolescencia vuela raso sobre los miembros de la orden mendicante que huyen y se arrojan contra los montones de cuerpos catatónicos para disimular sus propios cuerpos y pasar desapercibidos. Al dron se le dobla una de las hélices.

El dron chucho observa en primer plano los aterrorizados ojos de Selva Sebastian que ha recuperado de nuevo una verticalidad compatible con la vida y no puede dejar de sonreír ni de golpear su clavícula derecha con su mano izquierda, y su clavícula izquierda con su mano derecha dibujando una cruceta párvula en un cañamazo de *petit point*. Selva Sebastian no necesita que nadie inserte una moneda en su bola para bailar imparablemente. No es la estatua animada de un jardín. Nadie por la noche tapará la bola para que la pájara no cante y duerma arropada por la oscuridad y el silencio. A Obsolescencia le preocupa cómo alimentarán a Selva Sebastian y teme que ella siga bailando completamente deshidratada hasta que la piel se le pegue a los huesos y los ojos aterrados se le subsuman en las cuencas y solo exista la posibilidad expresiva de la sonrisa de calavera. El dron da vueltas alrededor de la bola, un poco escorado por su hélice dañada, y no halla un resquicio en el que insertar ni su llave maestra ni sus destornilladores. El dron no da con un tubo de ventilación que permita respirar a Selva Sebastian. Quizá su mascarón de proa, su Victoria de Samotracia, su amazona pectoralmente intacta, haya sido mecanizada, recauchutada y reducida a resorte y pelo de nailon. De hecho, Obsolescencia toma medidas y verifica que el tamaño de la actual Selva Sebastian no se corresponde con su primitivo tamaño natural. Parece ligeramente más pequeña. Más ponible. El dron siente el temor de las jibarizaciones y metamorfosis con las que el ingeniero jefe penaliza a los drones reincidentes condenándolos a vivir para siempre tras el cristal de una juguetería o en la vitrina de sus miniaturas de aeromodelismo.

Algunos befeas se acercan alertados por la presencia del dron, que vuela girando cada vez más deprisa alrededor de la bola de cristal. Su velocidad deja una estela, y sus baterías y motorcillos comienzan a sonar como un avispero a punto de incendiarse. El dron pierde alguna tuerca, hace ruido, distrae a los befeas y eso facilita la lenta penetración de las viejas costureras y las carretilleras viejas. Las apariciones repentinas del hombre del mono azul. Obsolescencia duda: tal vez los ojos de Selva son ojos o tal vez pequeñas cuentas de cristal verde. Los befeas irrumpen con redes, lazos y palos de perrera para atrapar al sabueso que se revuelve contra sus agresores. Ataca. Los empuja hasta el final de la plataforma y al menos tres befeas se precipitan al vacío. Sube por la boca del Subestrato el eco de una bolsa de agua que se rompe contra la mampara protectora de los jorobados.

«Trío.»

«Escalera.»

«Te voy a matar.»

El dron graba, con su navajita, tres muescas más en su salpicadero.

Obsolescencia mira a Selva y percibe en su piel la tersura de cartón piedra de los maniquíes. Durante ese instante de desconcentración, un befeas está a punto de engancharle la pata de una hélice con un lazo, pero el dron caracolea y escapa, mientras que a Selva Sebastian, en la violenta rutina del baile, se le van desprendiendo lonchas rosadas de su cobertura. Obsolescencia siente, sin embargo, que la mujer está viva. Le huele el sexo como los perros huelen los sexos y los orificios del culo. Le huele el miedo, que desencadena los ataques de los dingos y los perros guardianes. Le huele la ausencia total de alegría bajo la sonrisa falsa. Le huele las hormonas. Intuye el acelerado latido de su corazón, y eso lo mantiene alerta y evita que lo cacen con los palos y las redes. El dron no va a desfallecer, pese a haber sufrido daños en sus cámaras. El dron no quisiera que su parcheada anatomía, con sus conmovedores ruedines de perro paralítico, sus cicatrices volcánicas, su shock postraumático, acabase pareciéndose al cuerpo ortopédico de José Millán-Astray, fundador de la Legión y de Radio Nacional de España.

Obsolescencia descarga una de sus aplicaciones de acción: sobre el marco del dron se levantan baterías de ametralladoras. Pese a que prefiere la seducción del *noir*, el encadenamiento de muertes cuya causa última no se conoce, el dron recuerda acciones vergonzosas del pasado y se trasviste en maquinaria de película bélica. Escupe entre dientes:

«Cabrones, hijoputas, os voy a achicharrar, daos por muertos, sucios amarillos.»

Cuando todo esto acabe, el dron chucho emitirá una queja por la falta de actualizaciones en el repertorio de pensamientos estimulantes para los drones guerreros: el ingeniero jefe aniquiló hace ya muchos años a los sucios amarillos. Devolvió a la esclavitud a los sucios negros. Prostituyó a todas las mujeres que no fueran madres sumisas, parturientas moribundas por un esfuerzo para el que ya no están preparadas, desahuciadas mentes, viejas trabajadoras, niñas borrachas con mucha debilidad. Buenas arqueras, o buenas tiradoras que, al final, también resultan canjeables si hay deudas de juego por medio. Obsolescencia llegó a creer que el programador —¿el jefe de personal?— no consentiría el rapto y encapsulamiento de Selva Sebastian, que ahora es observada como las primitivas chicas de los *peepshow*. La única diferencia es que los mendicantes no pegan el ojo a la mirilla: son vistos desde dentro de la bola. Aunque el dron chucho teme que los angustiados ojos de la joven sean ya nada más que cuentas de vidrio animadas.

El caballero no renunciará. Nunca.

La batería de metralletas es impresionante y ha provocado la huida de algunos befeas sensatos, pero Obsolescencia se percata de que no tiene munición. Los befeas de balística y los befeas artificieros, los befeas de los arcabuces, se ríen en la cara del dron.

«Daos por muertos, sucios amarillos.»

«Daos.»

«Amarillos...»

La grabación se apaga y tampoco resulta verosímil que la voz elegida para intimidar al enemigo sea la de una señora muy conocida por dar las instrucciones para el correcto uso de las cintas transportadoras. Una costurera, sensible hacia la desorientación de Obsolescencia, hacia su desánimo, se aproxima por detrás y degüella a un befeas con sus tijeritas. Otro befeas, de una sola coz, arranca la cabeza de la pobre mujer. Cabeza por cabeza. Obsolescencia recula hacia la bola de cristal.

«Maldición.»

Dice la locutora.

Selva baila y sus movimientos se vuelven cada vez más rígidos. En la pantalla del dron se ilumina, de repente, la silueta del multiplicado viejo del mono azul. Es una idea. Tal vez él conozca la clave para abrir la caja fuerte de la bola. O sepa cortarla. El pelotón de befeas se aproxima y, cuando Obsolescencia va a enfrentarse a ellos con una nube de insecticida para la fumigación, comienza a sentirse mojado. Como si se hubiese hecho pis. La castración tiene una secuela terrible. Se ha abierto un agujero en su depósito de hidrógeno.

«Cabrones.»

Obsolescencia es un dron heroico que culmina, en este preciso instante, su proceso de concienciación respecto a su caducidad. Morirá matando. El cuchillo entre los dientes. El dron se coloca frente a la bola de Selva Sebastian justo a la altura de sus ojos semimuertos. Quiere que lo mire. Que le diga «Buen perro», pero Selva gira la cabeza hacia la izquierda y levanta el hombro derecho.

«Yo no habría podido sacarte a bailar, nena.»

Selva gira la cabeza hacia la derecha y levanta el descascarado hombro izquierdo.

«Nunca se me dio bien, nena.»

Obsolescencia, dron con grabaciones audibles gracias al megáfono, mira con arrobo a la mujer sin salvación. Esa mirada se eterniza más allá del segundo que dura. El dron decide ahorrarle sufrimientos a su bailarina mutante. Acumula todas sus fuerzas, se propulsa y embiste locamente contra el cristal de la bola. Todo estalla, y el aire del Subestrato se ensucia de purpurina y volátiles fragmentos de fibra de vidrio.

De cristalizados hilillos de sangre que las costureras cortan al vuelo con sus tijeritas.

Los simpáticos hampones dan un brinco en sus asientos.

«Quiero dos.»

Dice el hampón más veterano. Y, sin saber por qué, Gatsby Sebastian se lleva la mano al corazón y se pone un poco triste. Siente un pinchazo en la úlcera duodenal.

«Yo, una.»

Responde.

«Os voy a machacar.»

Amenaza un tercero.

La cámara piojo de Obsolescencia ha salido disparada de la bola y permanece unos instantes activa sobre la mampara. Luego, todo es oscuro.

Fin de la transmisión.

Museo de ciencias naturales, museo arqueológico

Antes de que llegasen los viejos tanatopractores, porque en Land in Blue, por su escasez y por hacerles un homenaje a los cadáveres infantiles, se embalsaman los cuerpos de los niños y de las niñas, de las niñas que habrían querido ser un niño y de los niños ataviados con vestidos de jaretas, Cucú, pájaro de la muerte y del mal agüero, buitre necesario para el ciclo de la vida, aún dispuso de unos minutos para realizar una consulta terminológica.

Aprende que el embalsamamiento o la momificación también se denomina *mirlado* y que *mirlar* procede de *mirlo* y, entonces, Cucú está a punto de perder toda la pluma porque no entiende esa relación del mirlo negro con la desecada muerte de las momias. Pero intuye que nada es por casualidad y que, desde el instante en que anidó en el alero de la fachada de enfrente de la casa de Selva Sebastian y percibió el calor tan frío de la mano de Cajita, ya se había anunciado la muerte de la niña borracha. Graznido del cuervo y aleteo oscuro.

225

Cucú poeta Poe se descuajeringa. Pero se yergue para ser espectador de su propia obra. En la calle, se producen explosiones que el dron Cucú registra, pero desatiende. Esta es la grabación de Cucú. Retransmisión del rito mortuorio de Cajita. Cucú, el gran amante del western y los horizontes lejanos, nunca habría pensado que ocuparía el puesto del camarógrafo de un documental. O de una película de terror. Nunca habría pensado que fuese tan capaz de pensar. De fingir que piensa. De pensar que finge. Cucú se concentra en su monitor.

Llegan los tanatopractores enfundados en sus batas blancas. Son tan viejos que parecen un trabajo muy bien hecho por ellos mismos. Un milagro. Una momia animada por ordenador. Hablan entre ellos con la naturalidad de quien vive una rutina. También los matarifes trabajan con naturalidad. También quienes toman muestras de aguas fecales para medir el impacto de las pandemias y su progresión. También los músicos que amenizan los bailes vacíos de las ciudades de playa y a veces exhalan su último aliento abrazados al mástil de su guitarra eléctrica.

Cucú acaba con una enumeración y comienza otra en aras de la exhaustividad y la exactitud.

Sobre el cuerpo de Cajita se aplica el siguiente instrumental: bomba electroinyectora, bomba electroaspiradora, bomba hidroaspiradora, inyector de cavidades, juegos de trocares de válvula, juegos de cánulas de diferente calibre y medida, doble inyección, tubos nasales, tubo aspirador, martillo manual, cauterizador eléctrico, soporte occipital, jeringa hipodérmica. Con el tubo aspirador se drenan las cavidades vasculares y con el martillo se clava un clavo para cerrar la boca. *Pin, pan.* Sobre el cuerpo exangüe de Cajita se ha utilizado todo el instrumental enumerado en las enciclopedias de internet con las que se han instruido los viejos tanatopractores.

Los tanatopractores abren su caja de herramientas y las bandejas se extienden y se alzan. Las bandejas buscan las conexiones con las tuberías, desagües y enchufes del piso. Con las piletas. Acabado el proceso, todo vuelve a recogerse mecánicamente dentro de la caja. Su tamaño no permite prever la cantidad de herramientas que contiene.

Los tanatopractores son muy limpios. La niña ha quedado preciosa y luce un toque de color del que carecía en vida. La niña, en la muerte, se ha metamorfoseado en coche de carreras. Doble inyección, bomba y válvula. Rígida y hermosa. Todo lo contrario que el reblandecido Cucú, que ha perdido al menos un sesenta y seis por ciento de su almidón y de su apresto marcial.

La infancia embalsamada es conducida al museo de ciencias naturales para su exhibición. O quizá la lleven al museo arqueológico. A Cucú todavía no le han notificado el destino de la mirlada niña Romanescu. Aún no puede preparar recordatorios ni esquelas. Su vietnamita no funciona. Además, Flor azul no dice nada y la madre no ha podido elegir los colores, la tipografía, el motivo fúnebre de la rosa negra o del ángel dormido. El dron comandante no puede asumir tanta responsabilidad. Es una tarea demasiado comprometida.

Espera. Agradecería una conexión que no llega. Registra los ruidos de las explosiones y detecta nubes de humo. El asfalto de Land in Blue (Rapsodia) se agrieta y en algunas carreteras principales se abren simas. Pero Cucú no le concede demasiada importancia al pequeño apocalipsis. En realidad, le importaría un bledo si algo pudiese importarle mucho o poco. Cucú cuenta el tiempo ayudado por el parpadeo cada vez más tenue de su visor.

El tiempo a partir de ahora será lo único que no dejará de contar.

Deseada

De la mosca que revolotea se pasa a un ocelo del ojo de la mismísima mosca, ya convertida en rutilante estrella en Landinblú, y, dentro del ocelo, la imagen de la escritora, a la que le va brotando, como herpes o sarpullido, una palabra en la frente, «Deseada», mientras se oye esta frase en off (voz femenina de Bibi al habla): «... estamos hablando de carne y de la perturbada costumbre de que la carne de las mujeres está ahí para disfrutarla magreándola, fileteándola, reduciéndola a orificios»...

Antes de acabar la frase, entramos en un piso nada sórdido, mobiliario sueco, luz. La cámara recorre cada habitación: el saloncito, la cocina, el baño, todo bien, todo en orden... La radio emite la noticia de que han sido detenidos los violadores subsaharianos de Desirée M. y la cámara, por fin, abre la puerta de un dormitorio: allí un hombre de unos cuarenta años, que luce símbolos patrióticos en su pulcra indumentaria, peina y pone crema hidratante a una mujer de su misma edad, que se deja hacer, impasible.

La mujer no es una inválida, pero sus movimientos son rígidos. También la expresión de sus ojos. Mira un punto en la pared.

Mientras va vistiéndola y acicalándola con sumo cuidado, el hombre le habla, le expresa su amor, su deseo, le hace dulces promesas de futuro, le recita poemas de Garcilaso («En tanto que de rosa y azucena») y de Bécquer («tu pupila azul...»), le acaricia los senos y el vientre, le

228

dice que es una diosa... Justo en ese momento, la mujer agarra el dedo índice del hombre, se lo mete en la boca y lo chupa con lascivia. Ella casi sonríe mientras no deja de chupar y de mirarlo a los ojos. Él retira el dedo con escándalo y asco. Entonces, ella emite un chillido agudísimo, insoportable, y él empuja a la mujer, que, al caer al suelo, se rompe como si fuese porcelana.

El hombre contempla, absorto, los pedazos.

Los coge como si los fuese a pegar, pero desiste ante la dificultad de la tarea. Renuncia a la recomposición. Desde uno de los trozos rotos, la mujer lo mira. El hombre se enfada:

«¡No me lo reproches, no vayas a reprochármelo!»

Va a la cocina, agarra la escoba, recoge los trozos y los tira a la basura. Lo deja todo bien limpio.

Suena «Es un gran necio, un estúpido engreído (...), falso, enano, rencoroso» de Rocío Jurado o una canción de Paquita la del Barrio o un rap de la Mala Rodríguez, mientras el hombre sale a la calle con una pancarta para protestar contra las violaciones perpetradas por inmigrantes y en defensa de nuestras mujeres. La historia se mete dentro del ojo de una mosca que revolotea por la casa y, desde el ojo, volvemos al punto de partida: la habitación de la escritora, que coge su espray insecticida y mata a un insecto que ya es, para ella, una de esas mascotas que se clonan en los laboratorios para que nunca, nunca echemos en falta el tacto de su pelo, la humedad deslizante de la lengüecilla con la que nos lamen, los ojos de absoluta entrega con que nos vigilan mientras nos acompañan. Bibi recita: «Vosotras, las familiares, inevitables golosas, vosotras moscas vulgares...».

Aunque a casi nadie le llega la señal de la televisión, Mina y Miki han entrevisto el capítulo en el espejito mágico, y ella ha relajado el brazo y la mano donde guardaba el mechón, y su pelo verde se ha esparcido por el suelo del dormitorio. Ha pronunciado un nombre:

«Gatsby Sebastian.»

El hombre desnudo le ha dicho que sí.

El ingeniero jefe, asesorado por los ventrílocuos, emite «Deseada» porque, aunque en Land in Blue ya no hay inmigrantes, persisten el honor calderoniano y los vengadores. El ingeniero prefiere que la población no se alarme ante los últimos disturbios y temblores de tierra. Ante el terrorismo de las carretilleras y otras trabajadoras viejas del textil.

Mientras se emitía el capítulo, el ingeniero jefe también ha garantizado, por videoconferencia privada, la seguridad de los hampones:

«Muchachos, no hay nada que temer.»

«Usad la mampara.»

«La mampara es excelente.»

«Entreteneos.»

Y, ante la actitud heroica de los befeas, ha decidido oficializarlos y dotarlos de un nuevo equipamiento represivo. Los drones permanecen en los hangares, atontolinados y necesitados de atenciones psicológicas que el ingeniero no les va a costear. Proporcionará a los befeas grandes dosis de anfetaminas procesadas por las industrias farmacéuticas de los siete jorobados y esa provisión química le saldrá mucho más barata que darles de comer.

Los befeas serán una fuerza de seguridad estilizada y nerviosa.

Les rechinarán los dientes y tendrán ganas de usar sus fálicas porras y sus ases de bastos. Viva el ingeniero jefe. Y viva el rey.

«¡Las cuarenta!»

Grita un hampón que se ha confundido de juego.

La madre del ingeniero está conmovida:

«Hijo, cuantísimo vales.»

Le aprieta cariñosamente los mofletes. Acaba de dejar sobre la mesa un recién horneado pastel de ruibarbo. Ella no sabe que también es una víctima.

El ingeniero pasa de pantalla.

Onomatopeyas rojas

«Ya está bien de supercherías»: Miki apaga el receptor de televisión, también el espejito mágico, y descorre las cortinas de terciopelo granate. Cuánta luz y cuánto ruido. El espejo pierde su oscuridad de pileta musgosa y ya solo es superficie que refleja el cuerpo de un hombre desnudo y una mujer a la que su camisón blanco le queda grande. Podría perder su cuerpo dentro de él. Las inmensas mangas adelgazan sus muñecas. El escote desbocado transforma su esternón en nudosa tabla de lavar. Flor azul se enorgullece del hermano pequeño de la familia Romanescu, que va a contarle a Mina una historia. Pronunciando las palabras dentro de la boca de Mina Kinski, va a meter la historia en el aliento de la mujer madura. La parasitará y la ayudará a respirar. Como todas las historias que son repetición.

Porque Mina, Lucy, lo ha vivido todo, aunque lo haya olvidado. Lo que le queda por recordar es lo mismo que lo que le queda por vivir. En esta superposición de relatos o en el relato en sí, el melodrama es previo a la historia propiamente dicha. El melodrama es el pasado.

Se oyen persianas metálicas que bajan de golpe. Percusión. La banda sonora de Land in Blue. Es el futuro.

Del presente nada podemos saber. La cronología y el sentido del tiempo y del espacio, incluso la metafísica del ingeniero, no son inteligentes, pero tampoco son diabólicos.

Ahora Flor azul se plantea si es preciso aturdir a Mina Kinski con el cuento, minuciosamente ofensivo, de la muerte de su segunda hija. Piensa: Cucú ignora el sentido de la elipsis y de otras figuras retóricas. Cucú es morfológico, incipientemente semántico, y aún le cuesta entender el concepto de *belleza funcional*. Flor azul no quiere seguir acordándose de Cucú porque no le augura nada bueno.

Se vuelve hacia Mina: ni ella ni nadie podría entender que una hija pequeña se suicide y la embalsamen para llevarla al museo arqueológico. Y, sin embargo, es el uso y la costumbre. Flor azul ha confirmado el destino del paquete. «Museo arqueológico.» Cambio y corto. Los drones transportistas y los drones coche fúnebre acaban de llegar a la puerta trasera del museo, pese a las dificultades circulatorias de Land in Blue, víctima de una auténtica trombosis, y han depositado la preciosa carga en los almacenes; allí, Tina será ataviada con un vestidito de zíngara. Las monedas del pañuelo enmarcarán con lujo su frente abombada e infantil. El cadáver de la niña será sostenido por una peana que ahora se balancea porque toda la ciudad está temblando a causa de un movimiento no sísmico. Blandinblú. Nadie sabe cuánto tiempo el cadáver de Tina Romanescu permanecerá erguido con su ukelele entre las manos. Cuánto tiempo lucirá delicada y hermosa.

El ginedrón, fiel a su naturaleza analítica y sintética, inductiva y deductiva, fiel a su ADN de volante juicio sintético *a priori*, abre el abanico de posibilidades derivadas del secreto. No contarle nada a Mina, a Lucy Kinski, de la muerte de su hija pequeña. Cuántas posibilidades, positivas y negativas, se podrían derivar del escamoteo de la información del suicidio de Cristina Romanescu. El abanico se atasca. Se da una paradoja transitiva: la mujer más libre es la mujer más protegida, la mujer más protegida es la mujer más manipulada, la mujer más manipulada es la mujer más libre. Algo no funciona. Flor azul tiene una visión: el cuerpo enclenque de la mujer madura, pálido saquito de huesos, bracea contra los límites de la goma neumática dentro de la que un día se despertó encerrada en mitad de la noche.

Flor azul ya no puede más. Está agotada y sus baterías responden a duras penas. Se refugia en un estado de latencia electrónica. Como si entornase un ratito los ojos y echase una cabezadita. Nada más.

Entran por la ventana onomatopeyas rojas. El sonido destartalado de carretillas que desplazan mucho peso y el rozamiento de las ruedas contra las calles mal asfaltadas. Voces que imitan el ruido de las sirenas muertas de los antiguos furgones policiales: los befeas aúllan como lobos.

Flor azul ha desconectado sus sensores. Será solo un instante. Necesita descansar.

Suiza

Suiza siempre fue un país admirable. Cucú repasa la lista de países preferidos del ingeniero jefe: Australia, Canadá –por la policía montada–, Suiza, Marruecos, Emiratos Árabes, los residuos del admirable Imperio austrohúngaro, los Estados Unidos de América. Bután y Brunéi, con reservas. Las razones esgrimidas por el ingeniero jefe para confeccionar su lista de países preferidos tienen que ver con cosas tan distintas como la limpieza de sus calles, la rectitud y el sentido del orden, la alineación con las causas justas, la calidad de sus hoteles, el comportamiento del servicio, la imaginación urbanística, el carácter emprendedor, la eficacia de los bancos y de sus cámaras acorazadas, el buen aislamiento de los resorts y urbanizaciones suburbanas que no son lo mismo que urbanizaciones suburbiales, la licantropía del delincuente reconvertido en padre fundador, la redención, la fe, la posibilidad de creer gilipolleces, la reconfortante existencia de los pícaros hampones, las oportunidades de inversión, el precio del despido, los inventos, las telecomunicaciones, los parques de atracciones, la publicidad luminosa, las cadenas de comida rápida, los árboles de Navidad, los salones de juego, la capacidad para organizar en un tris los concursos para la elección de Miss Universo y de Miss Camiseta Mojada, el talante de las madres, el apoliticismo, la creencia en la Virgen María y el ingeniero jefe. El número de armas de fuego registradas por cada habitante. Los congeladores que llevan dentro una parte del corazón de las operarias viejas que los fabricaron. Las niñas que se saben comportar con papito. Los partidos de tenis. El respeto por las monarquías y los imperios indelebles. La absoluta ausencia de restaurantes chinos. El ardor guerrero. Los hombres con cicatrices en el rostro. Cada uno en su casa y Dios en la de todos. Yes.

Cucú repasa y enumera. Conoce al dedillo las preferencias y argumentarios del ingeniero jefe. Es un dron prometedor *cum laude* en el máster oficial de objetos volantes de Land in Blue (Rapsodia, S. L.). Los drones de asuntos internos no entienden cómo Cucú ha podido cometer tantísimos errores en un solo día y ni siquiera consideran una atenuante que todo haya sucedido por el amor de una mujer. Por culpa de una mujer. Porque Giordana Bruna es una mujer, no un sucedáneo, en los tiempos en los que el

234

corta y pega dejó atrás al calco en los cristales y el calco en los cristales dejó atrás la copia y la copia dejó atrás el «a la manera de» y el «a la manera de» dejo atrás la recreación y la recreación dejó atrás toda escatología y/o mierda originaria y/o con pretensiones de originalidad.

Pero lo más desalentador para los drones de asuntos internos, que se han puesto en marcha enseguida pasando por alto los peligros de una ciudad en estado de alarma, es que Cucú abandonase el privilegio de su vigilante invisibilidad para entrar por la ventana que le abrió Cristina Romanescu.

Cómo.

Pudo.

Dejarse.

Tocar.

La huella en su carcasa confirma la toma de contacto entre el dron y la niña Romanescu. Las hibridaciones, las medias tintas, el cíborg, los mulatos, la materia no identificable inmediatamente como pescado o carne blanca, y las *maritransbolleras* están absolutamente prohibidas en Land in Blue (Rapsodia, S. L.), quizá para preservar ciertas esencias imposibles. En el diseño del ingeniero jefe se ha localizado, entre otros, este fallo de programación que quizá no cause ningún mal a su artífice, porque su artífice carece de moral y amor propio —es un artífice con tendencia a la chapuza hermanada con lo aséptico—, pero que, sin embargo, puede acarrear consecuencias catastróficas para las sensibilidades a flor de piel o las inteligencias vivas, sean de la índole que sean, metálicas o fibrosas, frías o calientes, que, por otra parte, al ingeniero jefe no le importan una higa.

Cucú saca pecho y se dispone a sufrir su castigo. Los drones de asuntos internos no tienen en cuenta que Cucú, el dron comandante, el dron apache, podría tal vez ser de utilidad en la represión de la revuelta de las carretilleras. El delito cometido es demasiado deshonroso. Cucú no será rehabilitado. Además, algo en las vibraciones del dron detenido les dice que no pueden fiarse de él.

El comedorcito de Selva Sebastian, que primero funcionó como instituto anatómico forense y cuarto trasero de funeraria, se ha convertido en sala de una corte sumarísima. Cucú deja de escuchar muy pronto la acusación de los drones fiscales y de los drones de servicios internos. Se le va un poco la cabeza. Olvida la disciplina quizá como efecto secundario de su pasión por Giordana Bruna y muy especialmente del contacto con el dedo de la niña Cristina Romanescu, alias Cajita, que ha dejado en él una huella imborrable. En muchos sentidos. Cucú habría llorado, si pudiese, cuando uno de los drones de asuntos internos de menor rango le ha limpiado la huella frotando con un limpiador general específico la carcasa de Cucú y una de las patitas que soporta las hélices y las une al marco del dron. Los anillos dactilares de Cajita han ido desapareciendo uno a uno como los anillos que sirven para contar los años que ha vivido un árbol. Como los anillos de la corta edad de esa niña que se parecía tanto a Isabel Bowes-Lyon, madre de Isabel II de Inglaterra. Cajita e Isabel eran dos encanijadas por la edad en etapas diferentes de la vida. Cucú sospecha que a Cajita le habría encantado disfrazarse de Isabel Bowes-Lyon, tomar el té con gin y ayudar a su esposo a superar la tartamudez, porque Cajita hablaba poco, pero elocuente y bellamente. De haber llegado a vieja, podría haber sido una perfecta Bibi enunciadora.

La pata del pato Cucú no ha sufrido quemaduras ni ha desteñido porque los drones de asuntos internos y los drones fiscales ponen buen cuidado en que los drones delincuentes como él lleguen a su desguace, electrocución o desintegración en perfecta forma física. Esto lo aprendió el ingeniero jefe consumiendo películas carcelarias: a los presos nunca se les niega una última opípara cena y, si contraen una enfermedad terminal, el doctor House la descodificará, los salvará y les devolverá la salud. Así podrán recibir con la rabia de encontrarse perfectamente, incluso podrían decir que mejor que nunca, las inyecciones de midazolam, vecuronio y cloruro de potasio, o asentar las cachas de sus culos, libres de hemorroides o fisuras anales, sobre las sillas eléctricas. Esa imagen la ha archivado el ingeniero jefe en el glosario de sus drones dentro de las entradas Humanidad, Humanismo y Humanitario.

Cucú, distraído de su larga lista de delitos, al borde de la no existencia o del misterioso tránsito no sabe adónde, recupera sus genealogías desde el Caballo de Troya hasta la mantarraya robot de los Estados Unidos, vigilante y custodia de los océanos que acaban vertiéndose, formando sublime cascada hidroeléctrica, en los finisterres de este nuevo plano mundo. En ese árbol frondoso, Cucú se sitúa, con Obsolescencia, Flor azul y otros drones del hangar, sobre la rama en que también se posan KITT, el coche fantástico de Michael Knight; el muñeco diabólico y aquellas muñecas que hacían gestos con la cara cuando inhumanamente, contraviniendo el límite muscular y óseo de las auténticas niñas, le dabas vueltas al brazo manivela. Cucú se sitúa sobre la aberración antropomórfica de la tacita bebé y la tacita mamá, con ojos y boca, de la versión Disney de *La bella y la bestia*, un relato que, como todos, aborda el amor y la muerte confluyentes en un cuerpo mutante, hechizado, licantrópico. Cucú, con Obsolescencia y Flor azul, pertenece a la estirpe de los dibujos animados de coches con sentimientos que aspiran a ganar las carreras más imbéciles del mundo. Al dron pajarillo comandante el juicio adjetival «imbéciles» le ha surgido de manera espontánea y quizá esa espontaneidad se deba a la proliferación de los imbéciles propiamente dichos.

Cualquier aproximación, más sofisticada o imaginativa, hacia la inteligencia y las emociones, hacia la autonomía de la máquina o la condición de esclavo del robot, queda fuera del alcance de Cucú. Los drones venosos, tentaculares, plasmáticos, de la artista coreana Anicka Yi, su condición de vigilante partícula atmosférica, resultan incomprensibles para Cucú, que/quien, sin embargo, entiende el vínculo entre mecánica y retórica. Experimenta esa comunión indisoluble en su propia fibra mientras un destornillador eléctrico comienza a aflojar las sujeciones de sus medallas, galones y charreteras de dron comandante.

La retórica y la mecánica están del mismo lado y, pese a que Cucú siente la tristeza de esa energía que no se crea ni se destruye, sino que solo se transforma, también está sorprendido y orgulloso por su capacidad de formulación de un pensamiento complejo. Aunque no puede asegurar que sea suyo. Quizá pertenece a sus jefes, sus educadores, sus preceptoras, sus ancestrales plásticos, sus instructores, entrenadores y películas. Inmediatamente, del pensamiento complejo, como una metástasis, le nace el miedo de no saber bajo qué forma volverá a despertar. O si lo volverá a hacer.

«Luminiscencia», se dice Cucú a sí mismo. Y se le inunda el pecho de una gran felicidad.

A Cucú le atenaza un horror repentino: ya nadie controla externamente los mandos, pero hay un hilo, más bizarro y sutil, que desde dentro nos mueve confundido con el deseo.

Con el cese del ruido provocado por el destornillador eléctrico y la caída de la última medalla, el dron coman-

238

dante piensa que no quiere ser inteligente. Ni siquiera listo. También rechaza la idea de la reencarnación, pero «Made in Switzerland, made in Switzerland» es un estribillo que recorre su cableado. También su cabina se inunda de un intenso olor a hierbas medicinales que le descongestionan la nariz hasta alcanzar la glándula pituitaria.

Y la inconsciencia final.

Papel de estraza

Flor azul, en los destellos de su duermevela, retransmite. Su cámara graba gracias a la intervención del piloto automático. A veces entorna los ojos y mira. Esta escena se ofrece por cortesía de Flor azul, que se disculpa por la dudosa calidad de la imagen y el sonido.

«Ya está bien de supercherías.»

Miki rompe la luna del espejo. No puede demorarse. Toma las manos de Mina:

«Amor, tú y yo nos conocemos desde hace muchísimo tiempo. Tú has sido mi amiga de la infancia, has sido mi cuñada y la madre de mi sobrina.»

Mina se alegra.

«Cuánto tiempo, Miki.»

Para el pequeño de los Romanescu, Mina es un ideal. En Land in Blue a las mujeres solo puede amárselas como diosas o como carne. Miki intenta escapar de esas rutinas, pero no está seguro de poder hacerlo. Mientras tanto, su voluntad de querer a Iluminada Kinski permanece intocada. Y con su voluntarioso amor prosigue:

«Desde que Pablo murió y, años más tarde, Selva se llevó a Tina y tú te quedaste sola, tan confusa, yo he visitado a mi sobrina muchas veces.»

Tina se alegra al oír el timbre. Camina renqueante hacia el recibidor. Por detrás parece una viejecita con un poco de lordosis. El culete respingón por los problemas de espalda. Tina está a punto de lograr su transformación en anciana. Se sube a un pequeño escabel porque, si no, no alcanza la mirilla. Coloca su pupila marrón en la pupila de aumento. Al otro lado está Miki, el hombre del terno oscuro. Descorre los cerrojillos de la puerta y señala hacia el felpudo de la casa para que el tío Miki se limpie bien los pies. Después, él la coge como si la niña no hubiese cumplido ya los doce años. Ella se deja y después lo invita a pasar al saloncito. Le sirve un té con pastas de mermelada de fresa demasiado subidas de color como para ser genuinas. Conversan. Parecen miembros de aquella extinta casa real de la Gran Bretaña. Tina se da un aire a la difunta reina madre, esposa del tartamudo Jorge VI. La misma sonrisa melladita. La posibilidad de lucir graciosamente un sombrero. El amor por los alcoholes de alta graduación, que a veces el tío Miki le afea: «Tina, Tina, Tina, las niñas como tú no deberían beber». De la taza de Tina sale un olorcillo a anís. La niña recibe al tío cuando Selva Sebastian se ha ido al trabajo. El tío es un secreto y, cuando se va, Tina limpia toda la casa y a sí misma con litros de limpiahogares generales. Para no contraer ninguna enfermedad y para que, a su regreso, la atlética Selva Sebastian no pueda detectar ni el más leve rastro ni la más mínima prueba forense –pelos, huellas dactilares, restos de sangre– de la presencia del hombre. Se habría enfadado mucho Selva Sebastian. «Tina, ¿haces los deberes?», le pregunta su tío. La niña se ríe tapándose la boca y no dice que no ni que sí. Ella lee a Sylvia Plath y a Olvido García Valdés.

Nunca le pregunta por su mamá.

Combustiones, deflagraciones, la tierra que se rompe en el socavón por el que se precipitó hace un ratito la anatomía extraterrestre de Tote Seisdedos. El secuestrador calvo no puede agarrarse a la raíz de ninguna catalpa ni a ningún cimiento sólido. Su ristra de hijos supervivientes —«Papá, no corras»— se desliza detrás de él. Al final, eran más de tres los hijos de Tote. Tenía por ahí desperdigados un hijo por dedo. Por otro socavón, acaba de caer el jefe de Mina Kinski, el viceministro, a quien el ingeniero jefe nunca concedió la menor importancia. Ni siquiera como ventrílocuo adjunto. Nadie echará de menos al viceministro sentimental y no será por odio, sino por pura intrascendencia. Al caer, el viceministro no grita. No hace ruido al chocar con nada. Es una evaporación. Son mucho más importantes los monederos digitales y los cupones de descuento. Elegir la pasta que no se pasa, los congelados corazones de alcachofa, los lomos de delfín en aceite de girasol y el rehabilitado terrón de azúcar blanquilla.

La onomatopeya escarlata que llega de la calle devuelve a Miki al momento presente.

Mina sonríe:

«¿Por qué se fue Tina, Miki?»

El hombre no encuentra respuesta para esa pregunta. O no quiere encontrarla. El ruido de carreras y persecuciones, el silencio de las tragaperras averiadas, las persianas que se cierran de golpe, merman su concentración:

«Era muy pequeña, Mina.»

La mujer forma un cuenco pequeñísimo con las manos:

«Sí, muy chiquitita.»

Miki no deja de querer a la mujer madura:

«No puedes reprocharle nada.»

Miki ha pensado a menudo que quizá a Tina su madre le diera vergüenza. Una niña no entiende la desolación

241

de una adulta y, si la entiende, incluso esa comprensión es maligna. Una niña, con una madre tan triste como Mina Kinski, ha de cuidar de su propio pellejo. Quizá Tina no se sintiese a salvo en manos de una mujer tan débil. La Lusi de papá. Tina mide sus fuerzas y ve claramente que no puede levantar a su madre y, sin embargo, al darse la vuelta en la cama, su madre podría asfixiarla de amor, indiferencia o cansancio, como cuando las recién paridas, que han colocado a sus lactantes junto a ellas, los aplastan sin querer. Agotamiento, malas noches. Los malos deseos que, por fin, se cumplen. Tienen que descansar.

«Ay, Miki, era tan chiquitita...»

Quizá Tina no pudiera soportar la imagen de su madre acurrucada en el suelo mientras Selva la patea y lo graba en el móvil. Selva no tiene anillos. Selva no tiene explicaciones. Selva no tiene una habitación cerrada ni una cartilla que leer debajo de un flexo. Selva es una gran bola de energía. Absurda. «Patéeeeetica», grita Selva mientras golpea los riñones de su destartalada madre. «Eres patéeetica.» Pablo Romanescu había muerto demasiado pronto y Mina, adolorida, llegaba tarde a casa en compañía de otros hombres. Quería vivir, pero se estaba matando porque en Land in Blue las mujeres maduras, ligeras, posiblemente ingeniosas, eran en general bastante despreciables. Puede que la pregunta crucial no sea por qué se fue Tina, sino de dónde nació el odio de Selva Sebastian. Otra forma de vergüenza.

«Tan chiquitita...»

Mina se tapa la nariz con las palmas de las manos:

«Era, era mi niña..., ¡como un conejito!»

Miki se coloca otra vez en el lugar de su sobrina: cómo iba a cuidarla una mujer hecha un ovillo sobre el suelo. Tina mira a su madre, tendida y gimiente, y se pregunta otra vez cómo podría levantarla. Ella no puede cargar con bultos pesados. Es tan poca cosa.

«¿A que era como un conejito mi niña? ¿A que sí?»

Cómo iba a cuidarla su mamá. Tina necesitaba tantos limpiahogares generales para sobrevivir. Unas rutinas de aseo. Todas las cosas que Mina Kinski no le podía dar.

El ingeniero jefe había cerrado los servicios sociales. Los drones estaban confusos respecto a sus funciones angélicas, militares, sanitarias. No daban abasto. Las niñas libres, las adolescentes airadas, las mujeres heridas debían encontrar su propio camino. Con fuerza y determinación. De esa fuerza solo estaba dotada Selva Sebastian.

El hombre enseña a la mujer madura algunas fotos de su teléfono: Miki y Tina comparten un rosado cóctel de gambas; Miki le regala a su sobrina una casita de muñecas, en realidad una sola estancia de una mansión futura, y ella mete su tesoro debajo de la cama; Tina le enseña a su tío su hija rata. Mina hace un comentario:

«No ha crecido nada. Está muy pequeña...»

Miki le da la razón, pero no alude a la falta de carácter de la mujer madura, a una flojera que dejaba desnuda a Tina Romanescu. Tampoco él supo explicarle nunca a Tina que a su madre le habían chupado la sangre y, cuando te pegan mucho y te miran con asco, a veces el miedo te encorva ya para siempre y tu cuerpo adopta una posición defensiva, y tiritas y ya lo haces todo mal. No te atreves e ignoras cuál es la decisión correcta. Lucy, Mina Kinski, libra, nacida en el mes de octubre: bella como Venus y dubitante como la balanza. Los horóscopos en Landinblú tienen más trascendencia que la biología o la física. Al fin y al cabo, se sobrevive en un planeta plano porque Dios quiere y los vaticinios son favorables. Los simpáticos hampones masajean las cartas con tacto supersticioso y las soplan antes de abrirlas ritualmente en la mano. Omiten la dimensión matemática del póquer o la ruleta. Permutaciones, combinaciones, probabilidad.

Mina Kinski ni juega a las cartas ni las echa, pero optó por un olvido y una distorsión.

«Qué casa más fea, Miki.»

Miki evoca la salita de la televisión, los sillones, los tapetes, el hule de cuadros y la vajilla de duralex. La terraza cuadrada con los geranios comidos por la mariposa. Es el futuro.

«Qué bien que tú la hayas ido a ver.»

«Tu hija, Mina...»

«Prefiero que me llames Lusi.»

«Lucy, mi amor...»

La mujer interrumpe. Algo la asusta:

«¿Sí, Miki? Claro que sí. Luego vamos.»

Socavones y temblor en Land in Blue (Rapsodia).

Tina permanece de pie frente a su madre, postrada y gimiente. Tiene ganas de acurrucarse en el hueco de su cuerpo. Dentro de su cuerpo tendido. Se pone en cuclillas, está a punto de hacerlo, pero Selva la coge de la mano y tira del bracito hacia arriba. Hacia arriba. Selva Sebastian casi le saca el hombro a su hermana pequeña. «Patética, furcia.» Mina se calla y Tina siente una vergüenza tan grande que no quiere recordar esa cara nunca más. Entonces Selva le pone a la niña una mochilita a la espalda y Tina comprende que esa es la persona con la que debe criarse. Alguien decidido que conozca los límites y le escriba: «Vete a dormir». Que exclame: «Yo sí me sé defender». Que esté profundamente cabreada, pero nunca triste. Tina necesita nutrirse de alguna aspiración. Y esa aspiración vive en los pensamientos sin vuelta de tuerca, en los sueños realizables, de Selva Sebastian. «*Limpia* es la palabra...», «Fue-

244

ra la gelatina», «Mano derecha sobre hombro izquierdo». Iluminada Kinski perdió muy pronto las ilusiones sustituyéndolas por una ensoñación, crónica y turbia, provocada por los estambres violeta de las flores y su propia necesidad de borrar, borrar y borrar mientras Selva la graba con su teléfono móvil, tendida en el suelo, hecha un guiñapo. Tina necesita a alguien que mantenga limpio el retrete y no se encierre a llorar ni llegue un día a casa con un hombre, viejo y desconocido, y cierre la puerta de su alcoba.

«¿Vamos a verla, Miki?»

«Tú sabes dónde está.»

«Yo me siento mejor...»

Las casas de tres y cuatro plantas de Blandinblú se derrumban. Son escombros recorridos por las venas verdes de los tendederos.

«Tenemos que irnos, Mina.»

«Lusi.»

Corrige ella.

«Lucy, mi amor, tenemos que irnos.»

El hombre se ha puesto su terno oscuro. Por debajo no lleva nada. Y eso provoca la risa de la mujer madura. Él le tiende la mano y ella se levanta del sofá de delante del espejo.

Mina insiste mientras caminan hacia la salida:

«¿Vamos, Miki?»

Él recuerda a su sobrina y comprende que nunca se quitó de la cabeza el escorzo de su madre tirada en el suelo tapándose la cara con los antebrazos. Cómo obedecer a una perra apaleada. A una amada perra apaleada. Cómo iban a acompañarse la una a la otra. Tina Romanescu era una niña. A ella también podían golpearla. Como a las locas. Como a las perras que meten en la perrera. Como a las afortunadas carretilleras que llegan a cumplir cientos de años. Cómo podría cuidar de ella una mujer así. Sin ánimo ni alegría. Sin vuelta atrás. Cada vez más hundida en el hundimiento. Una mujer capaz de despertar odio y ganas de matarla. Una mujer así no la podría proteger de la intemperie.

Y, sin embargo, Miki sabe algo más que no quiere saber, que no se quiere decir a sí mismo porque le duele: puede que el suicidio de Tina no estuviera tan relacionado con lo que se quedó atrás, sino con que la niña no veía absolutamente nada por delante. Ni al lado. Ni al mismo tiempo. Al hombre le muerde, como un Nosferatu, la sensación de peligro. Siente la sombra de una garra sobre su vientre desnudo por debajo de su terno oscuro. Cierra los ojos y ve a Mina ofreciéndole el cuello al vampiro. Los abre de golpe.

«Vámonos, Lucy.»

Miki querría cubrir la ciudad con un papel de estraza para que la mujer madura no viese los cadáveres. Están por todas partes. Pero Miki no debería estar preocupado: pese a sus colores intensos y sus salpicaduras sangrientas, pese a las desorbitaciones y los miembros separados del tronco, Mina Kinski no ve nada de lo que sucede. Ella canta en este futuro de reguetón y romancero:

Yo tenía dos maridos
cada uno un año duró.
El primero es delincuente
y el segundo se murió.
Cada uno me hizo una hija.
Una era como el sol.
El primero era un tunante
y el segundo se murió.
Volvía desde mi infancia
y muy sola me dejó.
Mi primer marido ahora

es un simpático hampón
que me partía la cara
y me arrugó el corazón.

La pareja anda sobre los cascotes y, evitando el jardín
de los letárgicos estambres, se dirige hacia el museo arqueológico. El hombre del terno oscuro quiere que la mujer vea a su hija y despierte. Rompa las páginas del libro.
Escriba otro. Mina se mira la mano como si la descubriese
por primera vez. Las dos alianzas en el dedo corazón. En
el índice, un cordelito celeste:

«¡Miki! Nos tenemos que ir...»

Flor azul para la grabación. La recuperación de los
crueles vídeos de Selva Sebastian, el acceso a las cámaras
de vigilancia de su escalera y la trepanación de las meninges y recuerdos de un hombre tan callado como Miki Romanescu la han dejado exhausta. La ginedrón no puede
más. Llegan noticias abrumadoras del exterior. Alerta roja.
Alarma. Tantas imágenes con la batería al límite. Sin posibilidad de recarga. Las tomas de electricidad funcionan
defectuosamente tanto en la cobertura urbana de Land in
Blue, como en la subterránea Torre de los siete jorobados,
gracias a la admirable labor de las costureras. Flor azul se
queda en el piso. Está consciente, pero no se puede mover. Como si hubiese sufrido un ictus imposible en su
morfología de ginedrón.

Al cabo de un rato, es retirada por los drones de confianza del ingeniero jefe. Han recibido un informe respecto a su rebeldía, su desapego hacia los códigos estableci-
dos, su ineficacia manifiesta en la vigilancia y protección
de Iluminada Kinski. Su vejez y sus posturas políticas, su
safoerotismo, su fascinación por el cine francés son peligrosos en la crisis más profunda de la historia reciente de

247

Land in Blue (Rapsodia, S. L.). Aun así, el ingeniero siente cierto afecto por su prototipo original de ginedrón. Siempre le ha gustado tenerla entretenida. Flor azul, aunque no lo sepa, es buena y cuidadora de la casa.

El ginedrón es embalado y transportado vía aérea. Los drones de confianza sienten un calambre cosquilleo parecido a la piedad.

Tránsito

Todo el mundo sabe que los relojes de cuco no fueron inventados en Suiza, sino en la Selva Negra. A la propagación infecciosa de este error de paternidad, maternidad o patente, contribuyeron Carol Reed y Orson Welles, quienes, en la famosa secuencia de *El tercer hombre* que tiene lugar en la noria del Prater, según cuentan los rumores, se saltaron el guión de Graham Greene para poner en boca de Harry Lime, simpático hampón a su manera, las siguientes palabras: «En Italia, en treinta años de dominación de los Borgia no hubo más que terror, guerras y matanzas, pero surgieron Miguel Ángel, Leonardo da Vinci y el Renacimiento. En Suiza, por el contrario, tuvieron quinientos años de amor, democracia y paz. ¿Y cuál fue el resultado? El reloj de cuco».

En su tránsito, Cucú se siente prisionero y descifrador del laberinto, nota que no puede escapar de un conocimiento en red que es finito e inexacto, de las leyendas que ya no son urbanas, sino cibernéticas, pero en el fondo, incluso en su estado almario migrante, no como golondrina viajera o crónica cigüeña de vertedero, sino como paquete enviado por correo urgente, la sentencia de Lime le hace gracia: «¿Y cuál fue el resultado? El reloj de cuco». Ahí está

Cucú, dentro de su caja de cartón, viendo en una cinta aún reproducible cómo Holly Martins no puede creer lo que oye, aunque debería estar acostumbrado: no por afán de engañar, sino por cierto amor al gazapo efectista, Orson Welles incurre irrefrenablemente en este tipo de burlonas inexactitudes.

Cucú, pese a estar tan apretado dentro de la caja y sentir sus mutilaciones –le faltan elementos: ya no tiene hélices ni zumba y solo conserva un colgajo móvil, tal vez oscilante, que pende de su cuerpo central–, puede pulsar el botón que lo conecta con la Cátedra de Historia del Cine de la Facultad de Cinematografía de Arkansas. De sus anaqueles virtuales, Cucú extrae la información de un libro electrónico sobre *Ciudadano Kane* escrito en el siglo XX por los tertulianos macho de un programa de televisión. El volumen está en español, pese a albergarse en Arkansas –en realidad el universo es un gran albergue globalizado y territorio de peregrinación para las élites confesionales–, de modo que Cucú no tiene que utilizar Google Translate, que le ha dado no pocos disgustos en su época de comandante.

En el volumen de Arkansas localiza el debatido comienzo de la obra maestra –*masterpiece*– de Welles: una bola de cristal, de las que enclaustran nevadas, cae al suelo y rueda mientras un Kane moribundo pronuncia «Rosebud», palabra misterio, que impulsará toda la película. «Rosebud», y, sin embargo, nadie puede oírla mientras sale de la garganta agonizante del millonario, porque el millonario está muriéndose a solas –«a solas» no «solo», porque solo se muere todo el mundo–, y la enfermera no entra en la habitación hasta que la bola está rodando, enloquecida de nieve, y el magnate de la prensa ya la ha espichado del todo. Las palabras no permanecen flotando en las habitaciones para que cualquiera pueda escucharlas en cualquier momento. Las palabras no son como el hueco del cuerpo de Cajita sobre los cojines del sofá. «¿Se puede decir que alguien "la espicha del todo"?», barrunta en su tránsito Cucú. Y lo barrunta precisamente por estar en tránsito, una expresión con un aura indeleble de religiosidad. Cucú y los lexicones.

Otras veces Orson Welles sí quiso engañar al público. Lo hizo, al menos, en dos ocasiones. La radiofónica *La guerra de los mundos* aterrorizó a la audiencia con la misma eficacia con la que Bibi apacigua a quienes necesitan paz, amor y bolas navideñas frente al miedo y las soledades. Quizá Welles discurrió, con sentido del humor alambicado, que la mancha de mora con otra verde se quita y que, ante una invasión extraterrestre como la de H. G. Wells, nada importan los pequeños temores de no poder pagar una hipoteca o del diagnóstico de una enfermedad que será mortal en un plazo largo o medio. Los rusos. No obstante, en su tránsito –ahora Cucú siente la maravilla de un vuelo etéreo sin el zumbido de las hélices–, constata que sí, sin simulaciones radiofónicas ni tranquilizantes voces femeninas, Blandinblú –Cucú está liberado y se permite licencias como «espicharla» o este topónimo chulesco y merecido–, Blandinblú está que arde. Los extraterrestres pueden aterrizar con sus réplicas humanas y sus vainas de guisante verde o amarillo, conocedores de las conclusiones de Mendel y de los límites de la representación en la Historia del Arte Contemporáneo. Con sus seres humanos de imitación Made in Taiwan, único territorio de la zona que el ingeniero jefe no achicharró en su momento.

Los ventrílocuos corren, gritando como gallinas, perseguidos por risueñas carretilleras que no tienen nada que perder y hombres del mono azul que empuñan llaves inglesas tan pesadas que les doblan las muñecas hacia atrás cuando intentan levantarlas contra el aire. Los hombres del mono azul han cumplido ya muchísimos años.

Pero a Cucú estas fogatas no le incumben. Solo lamentaría que llegasen a calcinar el museo arqueológico porque el cuerpo de Cajita les había quedado realmente bonito a los tanatopractores. Parecía que la niña iba a arrancarse a cantar y, en espera de esa voz, los visitantes del museo podrían permanecer clavados frente a ella horas y horas. El despertar a la vida. El regreso de una Blancanieves, enanita en sí misma, con los mofletes demasiado subidos de rubor, porque a los tanatopractores se les había ido un poco la mano.

Con la transustanciación de las almas y el trasiego, Cucú se ha quitado su pajarita de diplomático, y ha perdido destrezas de precisión lingüística –se la suda–, calibrado y ubicación sobre los mapas: quién sabe si el zíngaro cuerpo de Cajita está en el museo arqueológico o en el de cera. Sentiría que estuviese en el segundo porque allí se desintegraría con mayor facilidad. Por las calles, Cucú avista –ya no geolocaliza, avista– por un agujero que le han hecho en la caja para que no se asfixie como los pollitos, a una mujer madura y a un hombre con terno oscuro que pisan los escombros y se disponen a entrar en el museo arqueológico. Una fuerza, casi incomprensible para él, le impele a mirarlos. Durante un rato, no más. Porque Cucú vuelve a recordar la delicadeza congelada de Cajita en el museo, réplica y no réplica, réplica porque replica la vida desde la no vida y no replica porque la piel de Cajita es la piel de Cajita después de haberse sometido a un sofisticado tratamiento corporal.

Al hilo de esta visión que le parpadea en la pantalla –se podría decir que es un recuerdo, orgullo de Cucú– recupera el segundo jugueteo de Welles con el engaño: *Fake*, su falso documental sobre falsificación y falsetes y falsificadores. Cucú mira a través de su agujero y contabiliza tres ventrílocuos más corriendo como gallinas. Nunca se preguntó si eran humanos. Cucú casi ríe cuando le llega un eco: «¿Y cuál fue el resultado? El reloj de cuco». Desde el transitorio punto de vista de Cucú, que pese a estar mutando no deja nada al azar, aunque los relojes de cuco se inventaran en la Selva Negra, lo cierto es que en Suiza se diseñó el primer reloj chalé. La lógica es implacable. Todas las conexiones quedan restablecidas mientras las costureras, detrás de las barricadas, no dan puntada sin hilo, y el hombre y la mujer, que hace un instante había divisado Cucú, salen del museo arqueológico. Sus rostros le resultan familiares, pero Cucú tiene el sistema dañado y ya no es el que era. La mujer está muy sonriente, pero el gesto del hombre sería indescifrable incluso para la bella Giordana Bruna.

La pareja sube a la cima de un montículo de cascotes, y rompe el papel burbuja y el papel de estraza que envuelven Landinblú. Cucú no se había dado cuenta de que su caja transportadora estaba volando por un cielo empaquetado. La pareja rompe el doble envoltorio y accede al embalado perfil de Landinblú mientras Cucú surca el cielo *fake*, el cielo bajo los papeles, dentro de una caja de cartón con destino al Subestrato.

«Hoy no llueve y mañana tampoco lloverá» es el pronóstico que recibe vagamente Cucú.

Pero son las 14:27 sin discusión.

Comida de avión

Flor azul despierta al lado de un robot de cocina y una imitación de batidora de esas que en el siglo XXI ador-

252

naban el mostrador de cafeterías con ínfulas retro de ser cafetería no lugar y lugar por excelencia, la cafetería escenario de 1957, la auténtica cafetería, con sus funcionalidades paradójicamente anuladas: el perrito caliente es de pega, el humeante café es de pega, la sonriente camarera que se llama Connie porque lo dice la plaquita de su blusa es de pega, la frase «¿Te tomarías una segunda taza, cariño, *honey, darling,* mi supermacho y *petropatriarca,* ingeniero jefe?» es de pega... Lo de pega es lo genuino y más vale lo de pega que la nada absoluta. O la no nada. O la nada *blue.*

Oh tempora, oh mores. Como Mari y como Mira, Flor azul sigue sabiendo latín, pero ha sido reciclada en dron *vintage,* aparato de televisión y reproductor de los temas musicales preferidos por la madre del ingeniero jefe. La madre, que lleva un delantal de blonda y el pelo con permanente de peluquería y plis morado, adora a Bing Crosby y el «Qué será, será» de Doris Day que Flor azul gramola, ginedrón decorativo, reproduce en bucle violentando su amor por Mercedes Sosa, Quilapayún y Atahualpa Yupanqui. La madre del programador exige un entretenimiento mientras hornea, robóticamente, sus pasteles de ruibarbo y canturrea con una voz que, como todas las voces públicas en Land in Blue, se parece bastante a la de Bibi. Flor azul acaba de hacer este importante descubrimiento en torno a la identidad vocal de Bibi. El ingeniero jefe encuentra en casa su inspiración. Quizá por ello carece de aptitudes para el paisajismo y la decoración de interiores.

Sensible, pero sin movilidad, incrustada entre los muebles como un lavavajillas de los que conservan en su interior un dedo de sus montadoras, Flor azul vuela. A bordo de un avión nodriza, la madre y el ingeniero, la ginedrón y el resto de la aparatología de servicio, sobrevuelan las tierras de Land in Blue, que, más pronto que tarde, solo serán espejismo y polvareda. Land in Blue (Rapsodia, S. L.) será lugar legendario en algún tebeo, Brigadoon que reaparece en las brumosas colinas de Escocia para que los simpáticos hampones y otros individuos adinerados puedan hacer turismo de aventura. Habitar el humo porque lo puedes pagar. Puede que el topónimo Land in Blue (Rapsodia) ni siquiera se incluya en la *Encyclopædia Britannica* de 1902 que convirtió en realidades las civilizaciones imaginarias de Tlön, Uqbar y Orbis Tertius. Flor azul aprendió, en la época de la crítica al apropiacionismo y al colonialismo cultural, que debía ser extremadamente respetuosa con México, Perú, Bolivia, Honduras, etc. Por supuesto con Argentina, que era, junto con Francia, país de los amores del ginedrón. Flor azul, cortazariana. Flor azul, cronopio. Flor azul toca tu boca con un dedo... «Con un dedo toco el borde de tu boca, voy dibujándola como si saliera de mi mano, como si por primera vez tu boca se entreabriera, y me basta cerrar los ojos para deshacerlo todo y recomenzar...»

Flor azul va a echar mucho de menos a Mina Kinski.

En realidad, mostrar respeto hacia Ecuador, Venezuela, Colombia, Costa Rica, Paraguay, es para Flor azul una conducta natural; así que, ahora, repasa el inicio de las *Ficciones* borgeanas por si ha cometido alguna imprecisión al referirse a la *encyclopædia*: «Debo a la conjunción de un espejo y de una enciclopedia el descubrimiento de Uqbar. El espejo inquietaba el fondo de un corredor en una quinta de la calle Gaona, en Ramos Mejía; la enciclopedia falazmente se llama *The Anglo-American Cyclopaedia* (New York, 1917) y es una reimpresión literal, pero también morosa, de la *Encyclopædia Britannica* de 1902».

Ahí está sin que se pueda escribir mejor.

Al ingeniero jefe la más que probable destrucción de Land in Blue (Rapsodia, S. L.), el abandono que retrotraerá ese territorio, nunca floreciente, a un periodo cavernario y herbívoro, o lo reducirá a pasto de los virus diplodocus emergentes del permafrost, no le importa mucho: si es capaz de alcanzar la suficiente altura en su aeroplano, estará a salvo de todas las ondas expansivas y desmanes de las carretilleras y, si le da la gana, podrá volver dentro de un tiempo para iniciar andamiajes y reparaciones. O no volver nunca si no le place –«No me place» es una expresión que desde hoy mismo el ingeniero usará más–, dejando que todo se pudra y descomponga sin la protección de su sistema binario y su especulativa producción de limpiahogares generales. El ingeniero piensa que siempre podrá montar otra empresa. Sociedades limitadas. El ingeniero subestima el poder de las carretilleras y del multiplicado viejo del mono azul. Aunque, en caso de hundimiento, también podría fundar una nueva metrópolis, país, continente, mundo en otras coordenadas del planeta plano. Quizá en una de sus exóticas esquinas. Brunéi le tienta.

«Recuerda, mi niño, que son amarillos.»

Le grita mamá desde la cocina voladora.

«Malayos, mama.»

Quizá mejor, Abu Dabi. O los bosques-decorado por los que cabalga la policía montada de Canadá. O la Costa del Sol.

En la transformación vertiginosa de la noción de tiempo, las civilizaciones y los sistemas de ceros y de unos, las realidades paralelas y las colonias chabolistas pueden destruirse y refundarse, desaparecer y rebrotar en una milésima de segundo. El dramatismo del concepto *pérdida humana* se amortigua gracias al avatar y a la imaginativa

255

técnica del embalsamamiento de niños y niñas que caen como moscos y moscas. Tampoco el concepto *pérdida humana* se aplica con la misma pompa y circunstancia a unos cuerpos que a otros. El ingeniero jefe y su mami están en la escala superior de lo humano. Luego vienen los simpáticos hampones. Flor azul, cinéfila hasta en la cocina, revisa uno de esos fotogramas de la historia del cine que le habría gustado no ver nunca. No habría querido ver nunca la labor de taxidermia del Jack, imaginado por Lars von Trier, sobre los cuerpos, previamente cazados, de los hijos de una de sus enamoradas. No habría querido ver la escena final de *Saló* de Sade-Pasolini, la coprofagia y los cueros cabelludos arrancados de las cabezas. Ni los asesinatos de *Funny Games* de Haneke. Ni la vagina cosida de Ornella Muti en *Ordinaria locura*. Ni la escena de *Tras el cristal* de Agustí Villaronga en la que le inyectan una dosis de gasolina en pleno corazón a un niño mientras está cantando con su voz de tenorino. El perro apaleado hasta la muerte en *Furtivos*.

Y, sin embargo, esa tinta clavada en la retina es imprescindible.

Hoy Flor azul evoca *Alemania, año cero* de Roberto Rossellini: entre las ruinas de una ciudad devastada, un niño se suicida. Su pasado es un soldado muerto de miedo, la enfermedad de un padre, una hermana puta, un solícito pederasta; su presente, las piedras y la reducción a la nada de la ciudad de Berlín. Hay muchas formas de vivir una guerra, concluye Flor azul a quien siempre se le reduplica el sabor a hierro de su composición al volver a ver el momento en que el niño Edmund se mata. En Berlín, por aquellos años, no había drones ni ángeles que sostuvieran a Edmund, que se lanza al vacío, para morir. «Los débiles deben perecer para que los fuertes sobrevivan», la reflexión es vieja. 1948. Una hora y diez minutos.

Sin llegar al extremo del Apocalipsis y de sus cuatro jinetes, el ingeniero valora la posibilidad de algunos cambios no sustanciales, mientras disfruta del confort de su asiento en clase turista. Está íntimamente convencido de que las aguas volverán a su cauce y de que los simpáticos hampones encontrarán una escapatoria como las ratitas que sortean la dificultad del laberinto imantadas por el olor del queso o del tocino rancio. Putas ratitas. Flor azul conoce bien al ingeniero jefe. Ella es uno de sus logros genuinos y se ve capacitada para repentizar su pensamiento. Es un pensamiento al ritmo, acelerado y machacón, de la polca. Flor azul no está segura de que, en estas circunstancias, el jefe atine con sus pronósticos.

El ingeniero jefe es un hombre sencillo, enemigo del sibaritismo y de la ópera italiana, y ocupar un asiento más caro en la vacía cabina de pasajeros del avión le parecería un exceso y una gilipollez.

«¿Estás bien, mam?»

Grita desde el asiento hacia la cocina de madre.

«Qué será, será...»

Canturrea ella.

Todo está en orden. El ingeniero bebe cerveza y mastica sin cerrar la boca cacahuetes salados. No se deja ni una miga de la ensalada rectangular ni del pollo o pasta —«Qué será, será...»— que ocupan su bandeja de comidita de avión. Las bandejas sobre las que se dispone la comida del avión parecen tetris o cuadros de Mondrian. Solo podrían ser manipuladas con pertinencia por deditos tan minúsculos como los de Tina Romanescu. Flor azul intenta superponer sus ideas a los agudos de Doris Day, que le salen de las rendijas del cuerpo sin poder evitarlo. Aerofagias involuntarias no son subversivos pedos punks. Emanaciones defensivas de mofeta. El ingeniero jefe es un manazas y lo desparrama todo: cuando va a untarse la mantequilla en el pan vuelca la botellita de aceite. Cuando va a abrir la pasta engrudo no sabe dónde colocar la tapa del recipiente de metal blando. Se quema los dedos y la salsa le moja la entrepierna. El ingeniero jefe, al fin, es un humano imperfecto que no se exige demasiado a sí mismo y disfruta de su comida de avión. Alguien le lavará la ropa y le almidonará los cuellos de las camisas para que acuda, como un pincel, a las reuniones de ejecutivos.

Flor azul se siente humedecida. Rezuma y comprende que es un aparato multitarea. No solo es un ginedrón gramola y un televisor, sino también máquina de café de cápsulas. Al ingeniero siempre le apasionaron los dos en uno. Las camas-mueble y los test de qué ve primero luna o perfil de parvulito. Flor azul se fija en el programador a través de las cámaras instaladas en la cocina donde la madre-azafata mete y saca de su carro docenas de bandejitas mientras permanece atenta al tilín del horno.

Flor azul es un receptor/emisor que, con su antigua antena y el complicado engranaje de cámaras que oculta bajo el poncho, capta otro canal: Iluminada Kinski y Miki Romanescu caminan sobre el papel de estraza con el que longevas empaquetadoras, salidas de los almacenes de los supermercados y las factorías de textil y chatarra, cumplen el deseo de Miki. Las empaquetadoras envuelven la corteza de Land in Blue con papel de estraza y cinta adhesiva marrón. Bajo esa capa externa han colocado previamente una capa de papel burbuja, no para proteger la metrópolis, país, continente, mundo, de la furia meteorológica –«Hoy no llueve y mañana tampoco lloverá»–, sino para amortiguar las explosiones procedentes del núcleo. Por fin, las empaquetadoras, para alegría de Flor azul, han respondido a la convocatoria de las carretilleras y embalan

Landinblú sin lazos, para limpiar luego más fácilmente los escombros y cacharrerías.

La hipótesis de una limpieza posterior es un gesto de esperanza.

Las empaquetadoras tapan con esmero y doble hoja los huecos de las alcantarillas a fin de evitar los escapes. Puede que, al desenvolverlo todo otra vez, Land in Blue (Rapsodia) haya renacido como un lugar sin partes meteorológicos ni ventrílocuos ni persianas que se bajan de golpe ni máquinas tragaperras.

No por efecto del ilusionismo, sino de la revolución.

En las revoluciones depositan su esperanza algunas empaquetadoras. Otras, más tibias, optan por coexistir pacíficamente con los robots que envasan al vacío la esencia umami de los jamones ibéricos. Todas, conscientes de su vejez y su cansancio, trabajan para que nada siga igual. Tampoco comparten la nostalgia de Mina Kinski. No quieren que nada vuelva a ser como antes de antes.

Sobre el papel, extendido con primor por las empaquetadoras, bajo el que se esconden los bultos de los edificios y los perfiles parabólicos de Landinblú, las primeras bajas y despieces corporales, sobre la doble capa de papel burbuja y papel de estraza, caminan Iluminada Kinski y Miki Romanescu siempre a punto de tropezar y caerse. Ella, de vez en cuando, vuelve la vista atrás porque oye la voz de Bibi:

«Próxima estación, Los rosales aromáticos.»

«Hoy no llueve y mañana tampoco lloverá.»

«Incorpora la tristeza a tu fuerza, incorpora tu fuerza a tu felicidad.»

«Sótano, planta baja, entreplanta, planta primera, segunda planta.»

«Tenía veinte años. No dejaré que nadie diga que es la edad más bella de la vida.»

«Cierre los ojos, pechito orgulloso, ombligo busca espalda.»

«¡Es hora de jugar! *Amazing!*»

«Vine a Comala porque me dijeron que acá vivía mi padre...»

Mina Kinski mira bajo sus pies:

«¿Bibi?»

Nadie responde. Entonces, continúa andando al lado del hombre del terno oscuro.

Notan el ruido de algunas burbujas que estallan bajo sus zancadas y se tumban sobre una zona del envoltorio especialmente mullida. Cansa caminar sobre un terreno que no es firme. Sobre la arena del desierto. La nieve. Sobre el papel burbuja.

Flor azul capta el instante de asueto y simetría perfecta en el camino de los amantes.

«¿Cómo está Tina?»

Flor azul entiende que la pregunta de Miki Romanescu no es una burla sino la proyección de aquel encuentro en el parque de los estambres violeta. La historia de los amantes se divide a través de un perfecto eje de simetría. Dice Miki como si hiciera una comprobación:

«¿Cómo está Tina?»

Flor azul estira la antena para no perder detalle.

«Con los zíngaros.»

Responde Mina Kinski. El hombre le coge las manos:

«Yo la quería mucho. Casi tanto como a ti.»

Flor azul nota la punzada de los celos y le pone un corrido mexicano a la madre del programador que, de momento, no se queja. La mujer madura ríe:

«Pero si no me conoces, ¿cómo me vas a querer?»

El hombre del terno oscuro vuelve a preguntar por si Iluminada Kinski le estuviese gastando una broma:

«¿Cómo está Tina?»

La mujer deshace un rizo de su pelo verde:

«Ella está muy bien allí. La cuida Conchita Wurst.»

Miki se siente fracasado. No ha sido buena idea pasar por el museo arqueológico. En su sala de momias infantiles, Miki ha sido el depositario de una revelación: fingimos que la muerte no existe, pero la hacemos presencia en los cuerpos incorruptos, cuando solo lo ausente tiene valor en Landinblú y todo lo que nos rodea está ya muerto. Los peces y las ramas de los árboles. Desleímos la muerte en una vida al uno por ciento de oxígeno. El hombre, más que nunca de las medicinas y las fórmulas magistrales, recupera la idea, copiada como siempre de un filme, de tatuarle a Mina, a Lucy Kinski en los brazos, las piernas y otras partes legibles de su piel, las señas de identidad y el camino de regreso al hogar. En su maletín, Miki Romanescu guarda los útiles del practicante y las tintas subcutáneas. Pero no será necesario porque, desde hace tiempo, la piel de Mina Kinski es un libro que ella nunca se para a leer: un herpes sobre el filo cortante de las terminaciones nerviosas le va dibujando, bajo el pecho y entre los muslos, nombres y rostros que ella no querría ver nunca más. El herpes escritura sobre la piel de Mina Kinski le produce un intenso dolor. Ahora las ojeras de la mujer madura se han atenuado. Parece tranquila. «Mujer que se rompe, mujer que se ríe», piensa Miki mientras frota la cara interna de los muslos de la mujer madura con una solución de sulfato de cobre.

Ella, para compensarle, le contará cada día el capítulo no escrito de una novela inédita de Fiódor Dostoievski.

El papel cruje bajo sus pies porque la pareja ha echado a andar de nuevo, vacilante, y porque la tierra que esconde tiembla. En el horizonte, a lo lejos, justo donde las empaquetadoras han puesto enormes bandas adhesivas para cerrarlo todo, se vislumbra un camión de transporte de animales. Mina corre hacia el vehículo rasgando con sus tacones parte de la envoltura periférica de Land in Blue. Quiere liberar a las terneras antes de que lleguen a las manos de los ancianos matarifes. Ignora que los matarifes también han abandonado sus palas de electrocución y sus cuchillos de despiece —no todos–, y son ahora los miembros más peligrosos de la revuelta. Mina regresa, como en uno de sus sueños, a esos viajes en coche en los que, a través de la ventanilla, miraba los camiones cargados de carne aún viva y caliente. Tiene grabada una enorme pupila de vaca lacrimosa entre las tablas del remolque de un camión.

«¿Por qué no crucé el coche en mitad de la carretera para liberar a aquel animal?»

Ahora, Mina, Lucy Kinski corre, sale del límite del papel de estraza, pisa el plano estirado de la Tierra plana y finita, y se coloca delante del vehículo del que baja un viejísimo camionero que le da a la mujer las llaves para que libere la carga. No le importa. Miki asiste a la liberación de las terneras que, sintientes pero desconcertadas, siguen al camionero que ha tomado el camino más corto para llegar a Landinblú y unirse a la rebelión.

«Me llamo Lusi. ¿Vamos?»

Miki vuelve a coger la mano de la mujer madura y juntos avanzan sobre la extensión del mapa plano del mundo. Tienen muchísimo tiempo hasta alcanzar el finisterre. Allí, por fin, descansarán.

Flor azul pierde la señal de los amantes. Flor azul se arruga en un capullo invertido. En un capullo hacia dentro. Emite una canción triste que logra fruncir el morro de la mamá y del mismísimo ingeniero jefe, que, hojeando

262

un libro lleno de estampas, sigue minusvalorando el impacto de las revoluciones del mismo modo que odia el cine francés y las canciones lacrimógenas.

El vuelo del ingeniero jefe irá de una esquina a otra del tablero del planeta como las bolas sobre el fieltro de una mesa de billar. Con mucho cuidado de no deslizarse nunca hacia las troneras oscuras. Ahora mismo, aunque no pueda verlo a causa de la minuciosidad del embalado de las empaquetadoras, sobrevuela la transmigración y el tránsito de Cucú, que, por fin, desde el otro cielo protegido por el embalaje, un cielo por debajo del cielo del ingeniero jefe, se cuela por una alcantarilla y desciende hasta la profundidad de la tierra justo antes de que lleguen la melancolía, los eclipses y quizá la disolución.

Primavera

No sabe Cucú de dónde procede la alegría que le brinca dentro del pecho, pero está gratamente sorprendido por la eficacia de los drones de mensajería, capaces de prosperar en el monopolio del ingeniero jefe. Uno de estos drones protagonizó un anuncio muy visto en Land in Blue (Rapsodia, S. L.); en él explicaba que, por circunstancias tristes de la vida, no había logrado obtener su certificado de estudios primarios, de modo que ninguna de las empresas de los simpáticos hampones le ofrecía oportunidades ni de empleo ni de promoción. El dron actor, sacado de la vida misma, confesaba en el publirreportaje que, sin posibilidades de crecimiento personal, temió que su vida careciera de horizontes. «Me sentí deprimido, desorientado», se lamentaba el dron jefe de logística y paquetería, reconvertido en actor principal de emotivos publirreportajes. Menos mal que el ingeniero jefe valoró su currículum amorosamente y, como padre y patriarca y patrón, le dio un puesto chupatintas en su monopolio de drones mensajeros y empaquetadores. El dron mensajero llena de oxígeno los pulmones por el pelotazo de autoestima e incluso se plantea tener descendencia, ya que estaba seguro de que su hijita le daría un beso al decirle: «Papá, qué orgullosa estoy de ti». A continuación, la nena se iría a fardar al colegio con las otras niñas descendientes de drones menos voluntariosos y pelotas. Los drones creen disponer de una sentimentalidad y una vida que solo forma parte de un mundo imaginario. Los drones carecen de aparato reproductor y capacidad para tener descendencia. Pero, si les cortan la picha, les duele. El ingeniero jefe los programó así.

Nada sabe Cucú del destino –cantado, completamente cantado– del dron Obsolescencia, pero si lo supiese ahora podría esgrimirlo como ejemplo de lo que estaba intentando pensar.

El anuncio del dron de mensajería, firmado por Iluminada Kinski, es alucinante, y los propios drones mensajeros lo son también porque, sorteando las humaredas de la vorágine revolucionaria, han alcanzado el corazón del Subestrato por una boca de registro y después por la gatera-trampilla, destinada a la recepción de comida rápida, que se abre disimuladamente en un lateral de la mampara protectora del salón de juego donde los simpáticos hampones, también conocidos por el sobrenombre de los siete jorobados, hacen sus apuestas. Hay que reconocer que los simpáticos hampones tienen sangre fría y una gran confianza en sí mismos porque logran concentrarse en sus envites mientras el cielo se desploma sobre sus cabezas y los drones de mensajería, que también cumplen funciones de drones instaladores, dejan perfectamente ubicado a Cucú en una de las paredes de la sala de juegos.

Son exactamente las 14:54, y Cucú, después de su pequeño desahogo volador –como si Cucú no fuese él y lo hubiesen cambiado por un irresponsable–, aún no ha de dar su do de pecho en el cumplimiento estricto del deber inmanente a su nueva naturaleza suiza. Su degradación podría haber sido mucho más traumática y, además, le han hecho un regalo: conservar una de sus pequeñas cámaras como recuerdo de lo que un día fue.

A las 14:55, con la alegría brincándole dentro del pecho, contento el corazón, y un enorme badajo pendular entre las piernas –nunca imaginó Cucú poseer un simulacro de falo tan fenomenal–, esto es lo que cuenta el ojo de Cucú:

«¡Pinta en oros!»

Exclama uno de los siete jorobados, que se toca la joroba como quien confía en la suerte y en la Navidad, y restriega los décimos de lotería por sus chepas allegadas. Otro simpático hampón, que pasa una mala racha, da la vuelta a la silla para ahuyentar el mal fario y convocar mágicamente una fortuna mayor.

Son las 14:56. Esto lo cuenta el ojo avizor de Cucú, su antiguo ojo de águila, ahora completamente inmóvil: por la gatera-trampilla para la recepción de comida rápida, por la gula y la condición animal del hampón, que además de juguetón es guloso, porque puede y él lo vale, llega la peste, es decir, penetran ligeros cuerpos de ancianas carretilleras de vanguardia, costureras armadas con agujas de hacer punto, viejas auxiliares de clínica, empaquetadoras bastante irritadas por la injerencia de los drones mensajeros y su filial de paquetería en cajas de cartón.

Mientras, el viejo del mono azul ha encontrado otro

punto vulnerable en la mampara: un punto golpeado por el peso muerto de Seisdedos, genio alopécico que podría haber sido imagen para la etiqueta de un limpiahogar general; un punto golpeado por la caída de las personas no muy importantes del Subestrato, los befeas difuntos, los matarifes y viejos farmacéuticos destrozados en acto de servicio, los miembros sangrantes de los camioneros centenarios, un ojo verde de Selva Sebastian que fue a parar justo ahí, rebotó sobre la mampara y comenzó a deslizarse por su superficie produciendo un ruido cristalino al entrechocar con los chupones y fragmentos rotos de las bellísimas lámparas de araña... En ese punto vulnerable, detectado por el viejo del mono azul, que hoy desempeña alegre su trabajito sin gritar «¡No quiero, Juanita, no quiero!», impactaron también los fragmentos casi pulverizados del marco, las patitas y hélices del heroico Obsolescencia, su cicatriz resultante de la quemadura por lava y gas de erupción volcánica, porque todo pesa, sobre todo las cicatrices, también las piernas sin tronco de los residentes más débiles de Los rosales aromáticos, las dovelas de los arcos y las mamposterías falsas, los fragmentos de la ojiva y la estalactita y la estalagmita puntiagudas que adornan cualquier territorio subterráneo, los picos de las harpías petrificadas en gárgolas rotas, criaturas que ya no se ríen sino que gesticulan dramáticamente, se vuelven ceñudas, todo pesa, como pesan las palabras en las enumeraciones pertinentes, cada fonema multiplica el peso de la enumeración que logrará que algo se rompa, mamparas, paciencias, previsiones, todo pesa, y a partir de ese punto de impacto se ha generado un hilo casi imperceptible en la mampara protectora de la sala del juego y la maquinación de los simpáticos hampones. Y, justo ahí, uno de los viejos del mono azul, ubicuos o clónicos, tal vez siempre el mismo, introduce la broca de su taladro y, con un ruido infernal que opaca el tictac del corazón y el fálico péndulo de Cucú, abre un boquete.

En perfecto y estricto cumplimiento de las leyes del pensamiento positivo, grabadas en las marmóreas –fingidamente líquidas– tablas del ingeniero jefe, las costureras lucen sus mejores sonrisas en el ejercicio de la revolución.

Son las 14:57, y por el agujero abierto por el hombre del mono azul se descuelgan los cuerpos insensibles –gran ventaja– de los jóvenes con deterioros cognitivos que, pese a ello, han hecho una cadena escalera, muy parecida al desfile de las procesionarias, por la que también descienden los cansadísimos camareros nonagenarios con sus botellas rotas preparadas, listas, ya, para rebanar gaznates, viejos controladores de plagas, reumáticas trabajadoras del secadero de tabaco, dos psicólogos al borde del hoyo y un matarife. El matarife lleva un cuchillo de cortar chuletas de cordero pascual y sin guillotina, pero, de un solo golpe maestro, decapita a Gatsby Sebastian justo cuando acaba de echarse un farol:

«¡Me juego Groenlandia!»

La sangre sale muy cómodamente en la pronunciación abierta del fonema *a* salpicando la sota de copas y el dos de diamantes, las barajas mixtas, con las que los simpáticos hampones se juegan las hijas, los bienes, muebles e inmuebles, del planeta plano. Por la gatera, una vez han entrado las carretilleras, costureras e intrépidas empaquetadoras, se cuelan las ratas, siempre ausentes del Subestrato, gracias a los efectos eternales del raticida Ibis, cuyas pastillas ha retirado una vieja limpiadora por horas. Entre las ratas, heroicas y agraviadas como la rata de Venecia de Patricia Highsmith, a las 14:58 Cucú reconoce a la ratita de Cajita Romanescu, que, aprovechando la confusión provocada por la revuelta, ha podido escapar de la mesa del laboratorio donde estaban a puntito de sacarle las tripas para hacer experimentos. «Cajita», «ratita», «puntito». Cucú aún conserva su sensibilidad lingüística para los diminutivos quizá porque él mismo ahora tiene algo de miniatura.

Quedan ya pocos jorobados, desde luego ya no son siete de ninguna manera, pero los supervivientes no pueden seguir apostando con cartas tan pegajosas. También pierden la concentración a causa del olor a cloaca que se filtra por el boquete de la mampara y la gatera-trampilla permanentemente abierta por el tránsito de ancianísimas trabajadoras. Algunos befeas, desde el exterior del espacio blindado, intentan detenerlas sujetándolas por las pantorrillas, pero a ellas les da igual quedarse sin sus varicosas extremidades. Entran impulsadas por sus brazos, arrastrándose sobre sus troncos, confiando en que ya habrá tiempo para ortopedias y reparaciones que practicarán viejos marroquineros y médicos centenarios de sanatorios de muñecas donde siempre han curado a las trabajadoras de sus achaques de carne. La juventud, que fue liberada de Los rosales aromáticos y transportada a toda velocidad en carretillas, ocupa la zona de debajo de la gran mesa de juego y muerde los tobillos de los simpáticos hampones.

Son exactamente las 14:59, y el ojo de Cucú corrobora: la juventud muerde y también araña con sus uñas fortalecidas por raspar cada noche el muro de Los rosales aromáticos, mientras más carretilleras y auxiliares, más viejos del mono azul, más empaquetadoras, tanatopractores, obreros de la planta de reciclaje maduros como uva pasa, viejísimos guardias jurados, dependientas artríticas, camioneros, matarifes, camareros de los que se las saben todas, también por viejos y por diablos, descienden al Subestrato a través de las escaleras de incendios y los montacargas. Luego, acceden hacia el salón central de los siete jorobados por el cielo abierto gracias al hombre del mono azul y por la gatera-trampilla.

El olor a mierda lo impregna todo. Los ambientadores que emitían sucesivamente esencias de lavanda, ozono pino y Nenuco han sufrido destrozos irreparables. El hedor desconcentra al último simpático hampón. Ya no queda ninguno. El achacoso cuerpo de la sublevación sabe que, si alguien puede reparar todo lo que ha roto, son sus brazos instaladores, sus pies limpiadores, sus dedos costureros. Bordarán una primavera en Land in Blue (Rapsodia). Porque ellas –y ellos– aman su metrópolis, país, continente, mundo. Sin embargo, ahora preocupa el chisporroteo en los charcos y el peligro de la electrocución: las humedades invaden los revestimientos aislantes. Una carretillera revisa el perímetro de la sala de juegos con la intención de localizar los cajetines de la luz y el enchufe central. Para evitar la catástrofe incendiaria de un cortocircuito, la avispada –como dron benefactor– carretillera saca la enorme clavija de los agujeros.

Desenchufa. A partir de las 15:01 buscar otra luz será imprescindible, pero ahora todo se desvanece dentro y fuera de la secreta habitación del pánico y los tapetes verdes, justo a las tres en punto, cuando Cucú sale de su chalé suizo, metamorfoseado en pajarito relojero, y a través del altavoz de su pico rojo logra por fin dar un sentido a su existencia en este mundo, piando mecánicamente:

«Cu-cú,
Cu-cú,
Cu-cú.»